プロが選んだ

日本のホテル・旅館100選

&

日本の小宿

2025年度版

CONTENTS

栃木

埼玉

茨城

千葉

神奈川

甲信越 Koushinetsu

山梨

長野

新潟

伊豆&東海 Izu & Tokai

北陸&近畿 Hokuriku & Kinki

中国&四国 Chugoku & Shikoku

九州 Kyushu

日本の小宿

データバンク

この本について

本書に掲載されている宿は こうして選出される

「プロが選ぶ日本のホテル・旅館100選」は、全国の旅行会社の投票によって選定する。旅行業1種、2種、3種の登録を持つ全国の旅行会社を有権者として、本社主要部門、営業本部、支店、営業所など「旅行業に登録されている事業所」単位に投票案内を掲載した「旅行新聞」と、投票用紙(専用ハガキ)を全国1万4258カ所に直接送付して集票。併せて、Web専用フォームからも投票を受け付けた。集計結果をもとに、「プロが選ぶ100選」選考審査委員会による審査を経て、最終的な「100選」を決定した。

投票基準と部門別に選ばれた100軒

投票用紙は、各旅行会社おすすめの宿泊施設5軒が記入できるようになっており、さらにそれぞれの宿は、推薦理由の詳細として「もてなし」「料理」「施設」「企画」の各部門を5段階で評価。集計方法は、投票用紙に記入された宿には無条件で5ポイントの得点が与えられ、その得点に4部門の評価点を加算。つまり4部門の評価がすべて満点であれば、最高25ポイントの得点を得られることになる。

合計点の高い順に選出されたのが「総合100選」。これとは別に部門ごとにポイントを集計し、その合計点が高い順に「もてなし100選」「料理100選」「施設100選」「企画100選」を選出している。

第49回「プロが選ぶ日本の ホテル・旅館100選」を発表

㈱旅行新聞新社が主催し、国土交通省ならびに観光庁、(一社)全国旅行業協会(ANTA)、(一社)日本旅行業協会(JATA)後援による第49回「プロが選ぶ日本のホテル・旅館100選」と、第44回「プロが選ぶ観光・食事、土産施設100選」、第33回「プロが選ぶ優良観光バス30選」、第7回「プロが選ぶ水上観光船30選」の発表は2023年12月11日に旅行新聞新社ホームページ及び旅行新聞紙上で行った。

栄えある総合1位に輝いたのは、石川県・和倉温泉の「加賀屋」。もてなし部門1位、料理部門2位、施設部門2位、企画部門1位とすべての部門に上位入選を果たしており、2年連続で総合1位となった。

本書では、巻末に部門ごとの100選リストを掲載しているので、ぜひ参考にしていただきたい。また100選とは別に、選考審査委員が選んだ小規模な日本の宿(選考審査委員特別賞・日本の小宿)も掲載しているので、100選とあわせて宿選びに役立ててほしい。

※本書の宿へのアクセス方法は、各宿から提供された情報を掲載しています。
※リボン宿ネットを掲載している宿は「ピンクリボンのお宿ネットワーク」に参加しています。全国の病院・看護団体とホテル・旅館が連携し、乳がん治療を受けた方々の旅をサポートするために設立されました。マークがある宿では、より快適に過ごしていただけるような環境づくりを行っています。

東北

ホテル森の風鶯宿［岩手・鶯宿温泉］

悠の湯 風の季［岩手・松倉温泉］

結びの宿 愛隣館［岩手・新鉛温泉］

ホテル鹿角［秋田・大湯温泉］

南三陸ホテル 観洋［宮城・南三陸温泉］

八乙女［山形・由良温泉］

萬国屋［山形・あつみ温泉］

日本の宿古窯［山形・かみのやま温泉］

八右衛門の湯 蔵王国際ホテル［山形・蔵王温泉］

離れ湯百八歩 蔵王四季のホテル［山形・蔵王温泉］

蔵王源泉 おおみや旅館［山形・蔵王温泉］

吉川屋［福島・奥飯坂・穴原温泉］

庄助の宿 瀧の湯［福島・東山温泉］

ホテル華の湯［福島・磐梯熱海温泉］

八幡屋［福島・母畑温泉］

山形・萬国屋（P.14）

左 露天風呂付客室の露天風呂　右上「イルミネーションガーデン」　右下「フラワー＆ガーデン森の風」

岩手×鶯宿温泉

ホテル森の風鶯宿

Hotel Morinokaze Oshuku

秀峰岩手山を望む北東北の ガーデンリゾートで 伝統ある名湯を堪能

傷ついたウグイスが患部を湯に浸して治したと伝えられている、鶯宿温泉。450年以上もの歴史を誇るこの温泉を代表するのが「ホテル森の風鶯宿」だ。

館内は、近代的な設備を整えながらも随所に自然を感じさせる造り。露天風呂付客室や貸切風呂などを備え、プライベートな空間で自分だけの湯浴みが満喫できる。

夕食は3密を避けるため、個室で楽しむ事もできる。地元岩手の旬の素材をふんだんに使用した和食膳や創作和食、創作会席、炉端会席を用意してくれる。

このほか、宿泊すると無料で入園できる日本最大級のガーデニング公園「フラワー＆ガーデン森の風」では彩り豊かな植物に日本の四季が感じられる。随所で3密回避の衛生管理を徹底しているので、安心して宿泊できるホテルだ。

Pick up!

季節のイベントいろいろ

当館では、1年を通して季節ごとにさまざまなイベントを開催している。夏は「夏のイワナつかみ体験」や「星空観察」、「小さな花火大会」、「ホタル観賞会」、冬は「ソリすべり」や「かまくら体験」など、岩手の大自然に囲まれた「ホテル森の風鶯宿」ならではの体験を満喫したい。

DATA

ホテルもりのかぜおうしゅく
https://www.morinokaze.com/
〒020-0574　岩手県岩手郡雫石町鶯宿10-64-1
☎ 0120(489)166　FAX 019(695)3330
Wi-Fi 使用可
外国語対応：**フロントにてiPad通訳**

■**交通**《車》東北自動車道 盛岡ICから国道46号を経由し20km、P200台（無料）《電車》JR東北新幹線・東北本線 盛岡駅から無料シャトルバス（定時運行・要予約）で45分　■**チェックin** 15:00 **out** 10:00
■**食事**《夕食》レストラン、宴会場《朝食》和朝食
■**部屋** 全221室（和室100室、洋室98室、和洋室2室、特別室4室、露天風呂付客室17室）　■**風呂** 和・洋大浴場各1（男女日替わり）、露天風呂、サウナ
■**泉質** アルカリ性単純　■**料金** 1万9250〜10万3400円（消費税・サービス料込、入湯税150円別）

左 露天風呂付客室一例
右 民謡ショー

岩手×松倉温泉

悠の湯 風の季

Kazenotoki

左 上品なしつらいのロビー　右上 ダイニング「山の風」
右下 料理一例（イメージ）

四季折々の自然のなかで ゆったりとした季を過ごす

季節のうつろいを美しく魅せてくれる花巻南温泉峡。なかでも「悠の湯 風の季」は、シックな空間が非日常のくつろぎへといざなってくれる宿だ。2022年8月に10周年を迎え、ダイニング、客室、浴場がリニューアルした。ダイニング「山の風」では、掘りごたつ席のほかテーブル・椅子席が新設。音と香りがダイレクトに伝わるオープンキッチンで、出来立てあつあつの料理を味わえる。

たっぷりの湯がたたえられた自慢のお風呂は、100％源泉掛け流しで、美肌効果が高いと評判。露天風呂「昇陽の湯」は、檜風呂に生まれ変わり、檜の香りに包まれながら癒しのひとときを過ごすことができる。

客室は、ワンランク上の贅沢な空間が広がる「和風スーペリア」や「露天風呂付和風スイートルーム」のほか、新たに洋室スーペリアツインが誕生した。

Pick up!

おすすめのお土産「折りくず餅」

白山水系の清らかな水で炊き上げた上質の葛で、ほんのり塩味のこしあんを挟んだ折りくず餅。暑い夏には、冷やすとより一層美味しくいただける。お土産にも人気の一品だ。

●12個入 680円　●21個入 1100円

左 露天風呂「かわみの湯」（女性）
右 洋室スーペリアツイン

DATA

はるかのゆ　かぜのとき
https://kazenotoki.jp/
〒025-0244　岩手県花巻市湯口松原36-3
☎ 0198（38）1125　FAX 0198（38）1126
Wi-Fi 一部使用可　外国語対応：韓

■**交通**《車》東北自動車道 花巻南ICから車で約15分、P80台（無料）《電車》JR東北新幹線 新花巻駅から車で約30分、または東北本線 花巻駅から車で約20分　■**チェックin** 15:00 **out** 10:00　■**食事**《夕・朝食》ダイニング　■**部屋** 全50室（和室38室、露天風呂付客室2室、和風フロアツイン10室）　■**風呂** 男女別大浴場各1、男女別露天風呂各1、男女別半露天風呂各1　■**泉質** アルカリ性単純泉　■**料金** 1万2000～2万1800円

お食事処「里山ダイニング」

岩手×新鉛温泉

結びの宿 愛隣館

Airinkan

リボン宿ネット

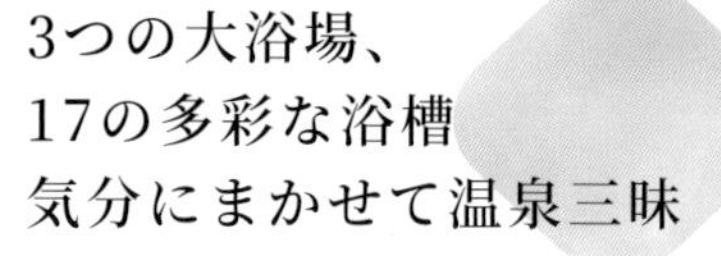

3つの大浴場、
17の多彩な浴槽
気分にまかせて温泉三昧

絶好のロケーションを誇る「結びの宿 愛隣館」では、大自然に囲まれながら3種類の上質な自家源泉を楽しむことができる。

客室は、山々や豊沢川の景色を楽しめるお部屋や露天風呂付のお部屋、ワーケーションデスクが用意されたお部屋などさまざまなタイプが揃い、旅行のスタイルや予算・目的に応じて選べる。

プランにより選べる夕食は、あらかじめ用意された先付料理のほかに、バイキング（ビュッフェ）形式で料理を楽しめる、プライベート空間を重視したお食事処「里山ダイニング」（2023年3月オープン）と、季節ごとの旬の料理をお部屋で水入らずの時間を過ごせる「お部屋食」。朝食ビュッフェでは、和洋約40種のメニューに加え、「はなまき朝ごはんプロジェクト」による地元の野菜を使った料理も好評だ。

上 お部屋食イメージ
下 山の湯「立湯露天風呂 満天の湯・星」

上 川の湯「内湯」
下「花かんむり／温泉露天風呂付客室」

Pick up!

ミキハウス子育て総研「ウェルカムベビーのお宿」

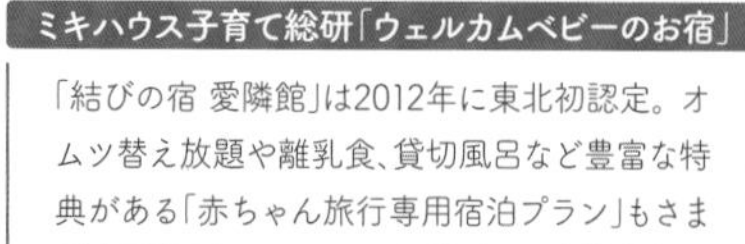

「結びの宿 愛隣館」は2012年に東北初認定。オムツ替え放題や離乳食、貸切風呂など豊富な特典がある「赤ちゃん旅行専用宿泊プラン」もさまざま用意されている。お子様連れ、家族旅行を安心して楽しめると評判だ。

DATA

むすびのやど　あいりんかん
https://www.airinkan.com/
〒025-0252　岩手県花巻市鉛字西鉛23
☎ 0198(25)2619 ※予約センター受付時間9:00〜17:30
FAX 0198(25)2938
Wi-Fi  使用可　外国語対応：英

■交通《車》東北自動車道 花巻南ICから主要地方道 花巻大曲線で約17km20分、P200台（無料）《電車》JR東北新幹線 新花巻駅より無料送迎バスで約40〜60分（要予約） **■チェックin** 15:00 **out** 10:00 **■食事**《夕食》部屋食、レストラン、個室会場など《朝食》バイキング **■部屋** 全100室（全室に加湿機能付空気清浄機、空冷蔵庫完備） **■風呂** 大浴場「川の湯」「山の湯」、「森の湯」、貸切風呂「ちゃっぷん」 **■泉質** ナトリウム一硫酸塩泉、ナトリウム・カルシウム一硫酸塩泉 **■料金** 1万6000〜6万8200円

秋田×大湯温泉

ホテル鹿角

Hotel Kazuno

四季折々の風情が感じられる 開湯800年の名湯 ゆけむりの里

約800年前に開湯した大湯温泉は、江戸時代には南部藩主の指定保養地とされていた名湯だ。なかでも「ホテル鹿角」の大自然のなかで四季の彩を感じられる露天風呂や、開放的な大浴場の豊富な湯量の温泉は旅の疲れを癒してくれる。

客室は広く、「特別和洋室」には檜風呂があり落ち着いた贅のしつらえで至福のときを過ごせる。10名まで利用できる「和賓室 かづの」は約130㎡の広さに和室が2間、ダイニングルームに檜張りのお風呂と圧巻。それぞれの部屋からの景観は旅情豊かで安らぎに満たされる。

夕食の和食会席膳コースでは、厳選された旬の食材が最高の状態でいただける。なかでも、鹿角発祥の「きりたんぽ鍋」は日本3大地鶏の一つ「比内地鶏」の出汁が美味しさを際立て、つゆまで飲み干すほどの人気の逸品だ。

上 料理一例　下 開放感あふれる大浴場

上 四季のうつろいを感じる中庭　中「ホテル鹿角」外観　下 季節を感じられる露天風呂

Pick up!

道の駅おおゆ

「ホテル鹿角」の真向かいにある「道の駅おおゆ」。地元の銘柄牛である「かづの牛」を使ったバーガーやカレーライスなど、テイクアウトメニューが豊富な「えんがわカフェ」のほか、広い芝生に足湯や子供が遊べる温泉じゃぶじゃぶ池があり家族連れで楽しむことができる。

DATA

ホテルかづの
https://www.h-kazuno.co.jp/
〒018-5421 秋田県鹿角市十和田大湯字中谷地5-1
☎ 0186(30)4111 FAX 0186(37)4000
Wi-Fi 使用可 外国語対応：英 韓 中 台 他

■**交通**《車》東北自動車道 十和田ICから国道103号を経由し十和田湖方面へ8km約10分、P200台(無料)《電車》JR花輪線 十和田南駅からタクシーで12分 ■**チェックin** 15:00 **out** 10:00 ■**食事**《夕食》広間、食事処《朝食》レストラン、広間 ■**部屋** 全92室 ■**風呂** 大浴場、露天風呂、サウナ ■**泉質** ナトリウム塩化物泉 ■**料金** 1万5000〜1万9500円

宮城×南三陸温泉

南三陸ホテル 観洋

Kanyo

豊かな海と
心地よい潮風が楽しめる
絶景露天風呂

海との一体感が楽しめる宿「南三陸ホテル 観洋」。仙台駅から無料シャトルバスが運行しており、楽々移動も好評だ。海に面した客室からは飛び交うウミネコの姿も見え、部屋にいながらにして「観洋」を満喫できる。

南三陸温泉は、太平洋沿岸に湧出した地下2000mの深層天然温泉だ。海に突き出た絶景露天風呂からの太平洋は圧巻。朝焼けに顔を染めながらの湯浴みは「太平洋を庭とし、朝日昇る」という宿の自慢を実感できる。屋上では星空観察「スターパーティ」が毎月開催されている。

海辺の宿をより印象付けるのが、海の幸を贅沢に使用した料理。本社が魚問屋なので、名物の「アワビの踊り焼き」や気仙沼産「フカヒレの姿煮」など、素材・鮮度共に抜群の逸品が揃う。ホテル発祥のご当地グルメ「南三陸キラキラ丼」は四季折々の旬が丼で楽しめる人気メニューだ。

Pick up!

震災を風化させないための「語り部バス」

ホテルで所有しているバスを使用し、ホテルスタッフ等が語り部として被災した震災遺構高野会館や戸倉地区を含む町内のコースを約60分案内する。これまで46万人以上が参加し、防災・減災への取組みが高く評価され、第3回ジャパン・ツーリズム・アワード大賞を受賞した。

左 太平洋を一望できる絶景露天風呂　右上 ウミネコが遊びに来る客室　右下 料理一例

左 志津川湾の日の出
右 ホテル全景

DATA

みなみさんりくホテル　かんよう
https://www.mkanyo.jp/
〒986-0766
宮城県本吉郡南三陸町志津川黒崎99-17
☎ 0226(46)2442　FAX 0226(46)6200
Wi-Fi 使用可　外国語対応：英 中 台

■**交通**《車》三陸自動車道 桃生津山ICから20分、P200台(無料)《バス》仙台駅東口観光送迎バス乗り場より無料シャトルバス毎日運行中(要予約)　■**チェックin** 15:00 **out** 10:00　■**食事**《夕食》レストラン、大広間《朝食》コンベンションホール(バイキング)　■**部屋** 全212室(和室・和洋室・洋室211室、特別室1室)　■**風呂** 男女別大浴場、男女別露天風呂、サウナ　■**泉質** ナトリウム・カルシウム－塩化物泉、低張性中性低温泉　■**料金** 1万3000～3万円

左 由良海岸のシンボル白山島　右上 海の幸を余すところなくいただける　右下「八乙女」全景

山形×由良温泉

八乙女

Yaotome

湯量豊富な海のいで湯
夕景が美しい由良海岸

厳しい奇岩や絶壁が連なる八乙女浦。優美な弧を描く由良海岸の渚は「東北の江の島」とも呼ばれている。その美しい景観から「日本の渚百選」、さらに「日本の夕陽百選」、「快水浴場百選」と3つの百選に選ばれた景勝の地となっている。

そんな風光明媚な場所に建つ「八乙女」の美肌の温泉「乙女の湯」で身をゆだねるお風呂は、日本海を望む展望大浴場、潮風を感じながら入浴が楽しめる露天風呂と揃い、特に夕景の美しさは筆舌に尽くしがたい。

全室から日本海を一望できる客室では、かすかに響く潮の音を聞きながら、贅沢な時間がゆっくりと流れる。

自慢の料理は、由良漁港から仕入れた新鮮な魚介類。岩ガキやアワビ、アンコウなど、四季折々の庄内の旬を余すところなく満喫できる。山形の特産サクランボやメロン、庄内柿も格別だ。

Pick up!

オリジナルブランド つや姫「乙女の米」

当館オリジナルのブランド商品「乙女の米」は、こだわりの農家佐藤健さんの自慢のお米。ごはんのおとも「生姜の甘辛煮」「青のり佃煮」は、人気商品で朝食会場でも提供している逸品だ。

DATA

やおとめ
http://yaotome.in.net/
〒999-7464　山形県鶴岡市由良3-16-31
☎ 0235(73)3811　FAX 0235(73)3810
Wi-Fi 使用可　外国語対応：英 韓 中 台

■**交通**《車》山形自動車道 鶴岡ICから国道7号線を経由して約20分、P200台（無料）《電車》JR羽越本線 あつみ温泉駅・鶴岡駅下車、タクシー約20分《バス》あつみ温泉駅から約30分、停留所より徒歩10分《飛行機》庄内空港からタクシー約20分　■**チェックin** 15:00 **out** 10:00　■**食事**《夕食》会場食《朝食》バイキング　■**部屋** 全59室　■**風呂** 男女別露天風呂付大浴場、男女別サウナ付大浴場　■**泉質** ナトリウム・カルシウム硫酸塩泉　■**料金** 1万5000～3万円
※全館禁煙、指定喫煙所あり

左 西館客室
右 美しい由良海岸の夕陽

山形×あつみ温泉

萬国屋

Bankokuya

左・右上 源泉掛け流し陶器の露天風呂付客室
右下 リニューアルした露天風呂「庭園さくらの里湯」

創業300余年楽山楽水
さらに桃源山水へ

江戸の創業以来300有余年、楽山楽水の桃源郷に建つもてなしと憩いの宿「萬国屋」。多くの作家・詩人にもゆかりが深く、優美な黒瓦の屋根、重厚な趣の入母屋造りの玄関など、日本の美と心を求めてきた老舗旅館だ。2021年には、大石田焼きの「次年子窯」で作られた陶器風呂を備える4室の源泉掛け流し露天風呂付客室が誕生。プライベートな空間でゆっくりとくつろぐことができる。

1000年の歴史をもつ名湯「あつみ温泉」を満喫する大浴場は、シルクバスを備える「楽山」と泳ぎたくなるほど広々とした「楽水」。男女入れ替え制でどちらの湯も楽しめる。

「楽山楽水」の心粋は料理にも込められており、山形ならではの山形牛やアワビなど、地元の旬の幸を丹念に吟味した豪華な食膳が並ぶ。300年以上受け継がれてきた歴史と努力の味を、ゆっくりと味わいたい。

Pick up!

露天風呂リニューアルオープン

2023年12月、1階の露天風呂「庭園さくらの里湯」と「庭園 里の湯」がリニューアル。「庭園さくらの里湯」(写真)には、サウナ発祥のフィンランドに伝わるユニークな樽型「バレルサウナ」を設置。室内へ均等に温度を伝え、サウナの効果を最大限に引き出せる設計となってる。

左 活アワビ陶板焼き&山形牛温泉蒸し付和会席
右「萬国屋」正面玄関

DATA

ばんこくや
https://www.bankokuya.jp/
〒999-7204 山形県鶴岡市湯温海丁1
☎ 0570(00)8598(コンタクトセンター)
FAX 023(672)5459
Wi-Fi 使用可 外国語対応:英 韓 他(繁体語)

■**交通**《車》東北自動車道 あつみ温泉ICから約5分、P280台(無料)《電車》JR羽越本線 あつみ温泉駅からタクシーで約5分 ■**チェックin** 15:00 **out** 10:00 ■**食事**《夕食》部屋食、和ダイニング《朝食》和ダイニング ■**部屋** 全97室 ■**風呂** 大浴場「桃源山水」、「楽山楽水」(露天風呂・サウナ付 ※男女入替有)、露天風呂付客室6 ■**泉質** ナトリウム・カルシウムー塩化物・硫酸塩温泉 ■**料金** 1万8000〜4万5000円《特別室》7万3650円〜

蔵王が一望できる人気の展望露天風呂

山形×かみのやま温泉

日本の宿古窯

Nipponnoyado Koyo

山形の風味・風土・風景を伝える料理と伝統が薫るおもてなしの宿

蔵王連峰を一望する高台に建つ「日本の宿 古窯」。敷地内から発掘された奈良時代の窯跡にちなんで名付けられた。

三大美人泉質として知られるかみのやま温泉は、美肌効果抜群でまさに天然の化粧水。好評の展望大浴場のほか、露天・半露天風呂付客室でも、眺めを楽しみながらかみのやまの湯を感じることができる。

2023年3月には、「茶寮露天風呂付客室プレミアムスイート」がオープン。温泉を存分に満喫する露天風呂、5名まで利用できる国内初のプライベートセルフロウリュサウナ、迫力満点の85inchテレビでVODを楽しめるシアタールームが備わり、贅沢な時間を過ごすことができる。

食へのこだわりは、五節句ごとに山形の風土を盛り込んだ創作料理。米沢牛を一頭買いすることで、最高部位を余すことなく料理に用いている。

2023年3月にオープンした「茶寮露天風呂付客室プレミアムスイート」

上 人気のすき焼き
下「日本の宿古窯」外観

山形の美味しい素材で使った「山形プリン」

当館が山形の美味しいこだわりのお土産を作るため、オープンしたプリン専門店。県花の紅花を与えて飼育された「紅花たまご」と県産牛乳「やまべ牛乳」で作った口当たりなめらかなプリンで、さらにさくらんぼやラ・フランスなどのフルーツを載せた彩り豊かなプリンも揃う。

DATA

にっぽんのやどこよう
https://www.koyoga.com/
〒999-3292 山形県上山市葉山5-20
☎ 0570(00)5454 FAX 023(672)5459
Wi-Fi 使用可 外国語対応：英 韓 中 台

■交通《車》山形自動車道 山形蔵王ICから国道13号を上山方面へ15km、P325台（無料）《電車》JR山形新幹線 かみのやま温泉駅からタクシーで5分 **■チェックin** 15:00 **out** 10:00 **■食事**《夕食》宴会場、料亭、レストラン形式、部屋食《朝食》コンベンションホール **■部屋** 全133室 **■風呂** 展望大浴場「蔵王」、大浴場「紅花風呂」（男女入替有、各サウナ付）、展望露天風呂、貸切露天風呂1、露天風呂付客室8 **■泉質** 弱食塩石膏泉（ナトリウム・カルシウム－塩化物・硫酸塩温泉） **■料金** 2万2000～10万円

「八右衛門の湯」露天風呂

山形×蔵王温泉

八右衛門の湯 蔵王国際ホテル

Zao Kokusai Hotel

蔵王の大自然が放つ ゆとりと優雅の世界へ

蔵王の大自然のなかで安らぎを感じられる「八右衛門の湯 蔵王国際ホテル」。館内の随所から雄大な自然を目にすることができる。客室は、2023年にラグジュアリースイート、デラックススイートが新たに誕生。ラグジュアリースイートは、75㎡の空間にダイニングテーブルやデイベッドを設置したホテル最高級のグレード。和洋室を改装したデラックススイートも好評だ。

総木造りの温泉棟「八右衛門の湯」は、贅沢な掛け流しの天然温泉で、足湯、内湯、岩造りの露天風呂を楽しめる。山小屋風の3つの貸切風呂「山・森・里の恵み湯」も人気で、いずれも心身共にリラックスできる。

料理は、「地産美味」をコンセプトに山の幸を取り揃えている。評判の山形牛は、コクがあって非常にジューシー。山形の旬を彩る心のこもった料理を、心ゆくまで堪能したい。

上 料理一例　下 食事処「紅の花」6名席

上 ラグジュアリースイート　下 デラックススイート

Pick up!

食事処「紅の花」リニューアルオープン

2022年12月にリニューアルした食事処「紅の花」は、プライベート感を重視した半個室スタイルへと生まれ変わった。6名席・2室、4名席・11室、2名席・5席を備え、山形の名物をふんだんに盛り込んだ会席料理を、家族や親しい人と共に心ゆくまで堪能したい。

DATA

はちえもんのゆ　ざおうこくさいホテル
https://www.zao-kokusaihotel.jp/
〒990-2301　山形県山形市蔵王温泉933
☎ 023(694)2111　FAX 023(694)2113
Wi-Fi 使用可　外国語対応：英

■**交通**《車》山形自動車道 山形蔵王ICから西蔵王高原ラインを経由し蔵王温泉方面へ約30分、P90台(無料)《電車》JR山形新幹線 山形駅から蔵王温泉行バスで約40分、終点蔵王温泉バスターミナル下車 ※バスターミナルより送迎有(到着後電話要)　■**チェックin** 14:00 **out** 10:00　■**食事**《夕・朝食》レストラン　■**部屋** 全51室　■**風呂** 男女別大浴場各1、男女別露天風呂各1、貸切風呂　■**泉質** 硫黄泉
■**料金** 2万～6万7000円

山形×蔵王温泉

離れ湯百八歩 蔵王四季のホテル

Zao Shiki no Hotel

左「離れ湯百八歩」露天風呂　右上「離れ湯百八歩」内湯
右下 暖炉のあるロビー

四季のうつろいを肌で感じる静かな一軒宿

「離れ湯百八歩 蔵王四季のホテル」は、蔵王の豊かな大自然に包まれた、ヨーロピアンスタイルのお洒落なホテルだ。四季折々の山野草や白樺を眺めながら湖を一周する散策コースや、雄大な樹氷見学、かんじきトレッキングなど、さまざまなアクティビティが楽しめる。

宿から108歩のところには掛け流しの天然温泉棟「離れ湯百八歩」があり、総木造りの内湯や蔵王連峰の絶景を望める露天風呂が揃っている。乳白色のいおう泉を心ゆくまで堪能したい。さらに、館内の大浴場「白樺の湯」は肌にやさしい弱アルカリミネラル泉で、2つの露天風呂ではそれぞれ違った雰囲気を楽しめる。

2種類の温泉でゆっくりと休んだあとは、地産美味を大切にした贅沢な山の幸を存分に堪能。多彩なプランから好みに合わせて選ぶことができる。

＼ Pick up! ／

ジュニアスイート、リニューアルオープン

2022年12月、新たにジュニアスイート4室が誕生した。62㎡の広々とした客室には、琉球畳のリビングとフローリングベッドルーム、石張りの高級ビューバスを備える。さらにマッサージチェアと大型テレビを完備し、贅沢なプライベート空間で思い思いの時間を過ごしたい。

左「蔵王山懐膳」
右「離れ湯百八歩 蔵王四季のホテル」全景

DATA

はなれゆひゃくはっぽ　ざおうしきのホテル
https://www.zao-shikinohotel.jp/
〒990-2301　山形県山形市蔵王温泉1272
☎ 023（693）1211　FAX 023（693）1213
Wi-Fi 使用可　外国語対応：英

■**交通**《車》山形自動車道 山形蔵王ICから西蔵王高原ラインを経由し蔵王温泉方面へ約30分、P50台（無料）《電車》JR山形新幹線 山形駅から蔵王温泉行バスで約40分、終点蔵王温泉バスターミナル下車 ※バスターミナルより送迎有（要予約）■**チェック** in 14:00 out 10:00 ■**食事**《夕・朝食》レストラン ■**部屋** 全41室 ■**風呂** 露天風呂2、内風呂2、足湯、サウナ ■**泉質** 硫黄泉・弱アルカリミネラル泉 ■**料金** 2万1000～5万9000円

山形×蔵王温泉

蔵王源泉 おおみや旅館

Oomiya Ryokan

畳のぬくもりと
大正ロマン香る
情緒あふれる木造りの宿

情緒豊かな温泉街にたたずむ「蔵王源泉 おおみや旅館」は、全館畳敷きで和のぬくもりがあふれる宿だ。館内は、素足で歩く心地良さとノスタルジックな雰囲気に満ちている。

自慢のお風呂は、楕円形の名物「玉子風呂」、泡風呂、源泉風呂。どれも木造りの湯船で、足触りの柔らかな湯浴みを満喫できる。さらに「おおみや旅館」は、蔵王温泉随一の大湯元として知られており、石垣からは1分間に720ℓもの源泉が湧き出る。この硫黄の香り漂う乳白色の温泉は、肌を白く滑らかにする効果があることから、美人の湯としても人気が高い。

地産美味にこだわった「蔵王山懐膳」は、地元の山の幸や山形牛など、選び抜かれた旬の素材をふんだんに使用した極上の味。オリジナルの地酒と共に山形ならではの郷土料理を楽しみたい。

上「蔵王山懐膳」 下「おくつろぎラウンジ」

Pick up!

「おくつろぎラウンジ」

チェックイン後から利用できる「おくつろぎラウンジ」には、コーヒーや冷たい飲み物などのうれしいサービスを用意。懐かしいマンガなどが揃う読書コーナーやマッサージチェアもあり、のんびりリラックスタイムを過ごすことができる。

●利用時間 14:00〜21:00

DATA

ざおうげんせん　おおみやりょかん

https://www.oomiyaryokan.jp/

〒990-2301　山形県山形市蔵王温泉46

☎ 023(694)2112　FAX 023(694)2115

Wi-Fi 使用可　外国語対応：英

■**交通**《車》山形自動車道 山形蔵王ICから西蔵王高原ラインを経由し蔵王温泉方面へ約30分、P40台(無料)《電車》JR山形新幹線 山形駅から蔵王温泉行バスで約40分、終点蔵王温泉バスターミナル下車 ※バスターミナルより送迎有　■**チェックin** 14:00 out 10:00　■**食事**《夕・朝食》レストラン　■**部屋** 全32室　■**風呂** 男女別源泉風呂各1、男女別源泉露天風呂各1(露天風呂は冬期閉鎖)　■**泉質** 硫黄泉　■**料金** 1万4000〜4万4000円

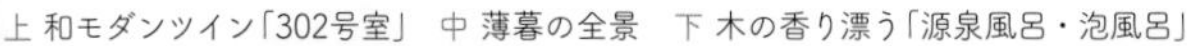

上 和モダンツイン「302号室」 中 薄暮の全景 下 木の香り漂う「源泉風呂・泡風呂」

深緑の露天風呂「さるあみの湯」

福島×奥飯坂・穴原温泉

吉川屋

Yoshikawaya

摺上川渓谷を望む 癒しの別天地へようこそ

天保12年創業の老舗温泉旅館「吉川屋」。飯坂温泉駅より2km上流の摺上川沿いに位置する、自然豊かな山紫水明の別天地の宿だ。

部屋は和室が基本で、貴賓室、露天風呂付特別室、露天風呂付客室、和ベッドルーム、洋室などが揃う。

大浴場は、手付かずの自然を眺望する造りで、自家源泉から湧き出る弱アルカリ性単純泉のやさしい温泉を、子供から年配の方まで安心して満喫できる。

女神の貸切風呂「湯野～YUNO～」はバリアフリーの内湯と露天風呂をどちらも楽しむことができる。家族やグループでプライベートな空間と雄大な自然を満喫したい。

また、ワンランク上の個室会食場「せせらぎの杜ダイニング～燈花～」では、上質な空間で東北の旬の食材を使った和風会席膳を福島の美味しい地酒と共に堪能できる。

上 女神の貸切風呂「湯野～YUNO～」
下「吉川屋」外観

上 季節の素材を生かした夕食（一例）
下「せせらぎの杜ダイニング 燈花」

Pick up!

ブックラウンジとキッズスペースが好評！

2023年4月に誕生した4000冊の漫画が楽しめるブックラウンジ「ふくろう」。漫画好きの社長が厳選した名作が並び、ゆったりとくつろげる空間が広がる。キッズスペースには、旅館内最大級の幅5m高さ3mのボルダリングを設置。子供が思いっきり遊べる、家族連れにうれしい施設だ。

DATA

よしかわや
https://www.yosikawaya.com/
〒960-0282 福島県福島市飯坂町湯野字新湯6
☎ 024(542)2226 FAX 024(542)3604
Wi-Fi 使用可 外国語対応：英 中 台

■交通《車》東北自動車道 福島飯坂ICから12分または東北中央自動車道 大笹生ICから12分、P150台(無料)《電車》JR東北新幹線 福島駅からタクシーで25分または福島交通飯坂線で飯坂温泉駅下車、送迎5～6分 **■チェックin** 15:00 **out** 10:00 **■食事**《夕食》個室ダイニング、レストラン、会食場《朝食》バイキング **■部屋** 全100室(和室88室、洋室5室、和洋室2室、露天風呂付客室5室) **■風呂** 大浴場2(サウナ付)、露天風呂2、足湯1、貸切風呂1 **■泉質** 弱アルカリ性単純泉 **■料金** 1万8000～10万3000円

左 2021年にリニューアルオープンした貸切大浴場「天寧温泉」　右上 眺望足湯「庄助の足湯」　右下 食事処「花みずき」

福島×東山温泉

庄助の宿 瀧の湯

Takinoyu

伏見ヶ滝の景勝と会津の伝統に心やすらぐ癒しの旅亭

民謡で有名な粋人・小原庄助をはじめ、多くの文人墨客が訪れた創業140年の老舗「瀧の湯」。「をんりーわんサービス」のもてなしで、訪れる人を温かく迎えてくれる。

2021年には、貸切大浴場「天寧(てんねい)温泉」が誕生。建築家により、木のぬくもりと天然石の質感にこだわった浴場で、贅沢に大浴場を貸切ることができる。子供向けの備品や洗い場も充実しており、大人数や家族連れに好評だ。そのほか、敷地内の伏見ヶ滝を望む絶景風呂などが揃い「東山温泉発祥の湯」を満喫できる。

また、床にプロジェクションマッピングの演出が施された食事処「花みずき」や会津地方の地酒が揃う地酒展示会場「蔵ssic」、館内随一の景色を堪能する眺望足湯「庄助の足湯」などが2022年にリニューアルオープンし、館内の至るところで充実した時間を過ごすことができる。

Pick up!

地酒展示会場「蔵ssic（くらしっく）」

当館3階に2022年リニューアルオープンした地酒展示会場「蔵ssic」。会津地方を中心に60種類以上の地酒を展示し、飲むことができる地酒も用意。会津、福島の日本酒の文化を学び、感じたりできるよう、さまざまな工夫がされ、日本酒が得意ではない人も楽しめるコーナーだ。

DATA

しょうのすけのやど　たきのゆ
https://shousuke.com/
〒965-0814　福島県会津若松市東山温泉108
☎ 0242(29)1000　FAX 0242(27)3288
Wi-Fi 使用可　外国語対応：英 中

■**交通**《車》磐越自動車道 会津若松ICから国道49号を経由し15分、P70台(無料)《電車》JR磐越西線 会津若松駅からタクシーで10分またはバスで15分、東山温泉下車徒歩1分　■**チェックin** 15:00 **out** 10:00　■**食事**《夕食》部屋食、料亭個室、和風ダイニング《朝食》会食場　■**部屋** 全60室　■**風呂** 大浴場2、露天風呂2、貸切露天風呂3、貸切風呂3　■**泉質** ナトリウム・カルシウム—硫酸塩・塩化物泉　■**料金** 1万2000～4万5000円

左 図書コーナー「東山文庫」
右 地酒展示会場「蔵ssic」

福島×磐梯熱海温泉

ホテル華の湯

Hotel Hananoyu

30種類の湯舎めぐりと選べる料理プランで華のあるおもてなし

豊かな自然林と清流に囲まれ、やさしいおもてなしで出迎えてくれる「ホテル華の湯」。自慢は毎分472ℓもの湯量を誇る天然温泉で、1階の「庭園露天風呂」や最上階の「展望ひのき風呂」、貸切風呂など、30種類ものバラエティ豊かなお風呂が揃い、湯舎めぐりに心躍る。

客室もニーズに合わせたさまざまなタイプがあり、心地良さを追求した本格派の和室を中心に、洋室や露天風呂付客室で、快適に過ごすことができる。

食事は、メイン料理を肉料理か魚介料理か選べる月替り会席で堪能。専属の調理人がオープンキッチンで調理する彩り豊かな創作和食の数々を味わえる。また、「ビュッフェダイニング」では、目の前で出来立てを調理する地産地消、新鮮な福島の食材に特化したメニューを取り揃えている。

Pick up!

「離れ松林亭」プレミアルームオープン

「離れ松林亭」に2人だけの時間を過ごすプレミアルーム「漣」と「理」がオープン。広々とした源泉掛け流し露天風呂を備え、食事はインルームダイニングでお部屋食を堪能。専用のプレミアラウンジでは、ドリンクやスイーツ、おつまみなどが用意され、ゆっくりとくつろげる。

左 趣あふれる岩に囲まれた「庭園露天風呂」 右上「展望ひのき風呂」 右下 メインが選べる月替り会席一例

左 旬の食材を味わう個室会席膳一例
右「ツアービュッフェ」には福島の美味が満載

DATA

ホテルはなのゆ
http://www.hotelhananoyu.jp/
〒963-1387 福島県郡山市熱海町熱海5-8-60
☎ 024(984)2222 FAX 024(984)2408
Wi-Fi 使用可 外国語対応：英

■**交通**《車》磐越自動車道 磐梯熱海ICから磐梯熱海温泉方面へ4km、P400台(無料)《電車》JR磐越西線 磐梯熱海駅からタクシーで5分 ■**チェックin** 15:00 out 10:00 ■**食事**《夕・朝食》ビュッフェダイニング、レストラン、料亭、料理茶屋、宴会場(プランにより部屋食) ■**部屋** 全163室・784名(松風館88室、華風館70室、離れ松林亭5室) ■**風呂** 展望ひのき癒しの湯(男女別入替制)、庭園露天風呂(男女別入替制、サウナ付)、貸切風呂2 ■**泉質** 単純泉 ■**料金** 1万7750～5万5150円《特別室》5万2650円

「別館 帰郷邸」天望大露天風呂

福島×母畑温泉

八幡屋

Yahataya

山里の自然と人のこころのぬくもりを感じさせる名宿

母畑温泉のはじまりは、平安時代中期のこと。前九年の役で、八幡太郎（源義家）が負傷した兵馬をこの温泉で癒し、母衣と旗を献じたのが訛り、「母畑」になったという。この霊泉の上に建つ「八幡屋」は、人と湯のぬくもりを存分に感じさせる名宿だ。

部屋の窓からは雄大な阿武隈の自然が望見でき、落ち着いた雰囲気にリラックスできる。大浴場「月待ちの湯」は、天窓が大きい石造りの浴室で、夜には露天風呂の上に「月待ち」の名にふさわしい名月ものぞく。

阿武隈の山海の贅を尽くした食材を、100余年伝え継がれた技で調理した料理も自慢。趣向を凝らしたお楽しみ処もあり、憩いのひとときに心癒される。

2019年7月には「別館 帰郷邸」がオープン。稲荷山を一望する天望大露天風呂、4つの貸切風呂、食事処が誕生した。

上「別館 帰郷邸」天望大露天風呂
下 吹き抜けが開放的なロビー

左「別館 帰郷邸」貸切風呂　右「八幡屋」全景

DATA

やはたや
https://www.yahataya.co.jp/
〒963-7831　福島県石川郡石川町母畑字樋田75-1
☎ 0247（26）3131　FAX 0247（26）1220
Wi-Fi 使用可

■**交通**《車》東北自動車道 矢吹ICからあぶくま高原道路 福島空港ICより母畑方面へ6km、P200台（無料）《電車》JR水郡線 磐城石川駅からタクシーで約10分　■**チェックin** 15:00 **out** 10:00　■**食事**《夕食》部屋食、宴会場《朝食》コンベンションホール　■**部屋** 全145室（和室112室、和洋室10室、洋室21室、特別室2室）　■**風呂** 男女別大浴場（露天風呂、サウナ付）、帰郷邸・男女別天望大露天風呂　■**泉質** アルカリ性単純泉　■**料金** 1万9000～6万7000円

関東

旅館たにがわ［群馬・水上温泉郷 谷川温泉］

別邸 仙寿庵［群馬・水上温泉郷 谷川温泉］

源泉湯の宿 松乃井［群馬・水上温泉］

万座温泉日進館［群馬・万座温泉］

草津白根観光 ホテル櫻井［群馬・草津温泉］

舌切雀のお宿 ホテル磯部ガーデン［群馬・磯部温泉］

ホテル森の風那須［栃木・那須温泉］

ホテル四季の館那須［栃木・那須温泉］

祝い宿 寿庵［栃木・川治温泉］

日光千姫物語［栃木・日光温泉］

あさや［栃木・鬼怒川温泉］

鬼怒川グランドホテル 夢の季［栃木・鬼怒川温泉］

二百年の農家屋敷 宮本家［埼玉・般若の湯］

五浦観光ホテル 和風の宿本館／別館大観荘［茨城・五浦温泉］

満ちてくる心の宿 吉夢［千葉・小湊温泉］

ホテル四季の館箱根芦ノ湖［神奈川・元箱根温泉］

群馬・草津白根観光 ホテル櫻井（P.28）

左 檜造りの大浴場　右上 旬のものを取り入れた和食料理長とシェフで作る和洋創作会席。名物は岩魚の唐揚げ　右下 リニューアルした「和モダンベッド客室」

群馬×水上温泉郷 谷川温泉

旅館たにがわ

Ryokan Tanigawai

リボン宿ネット

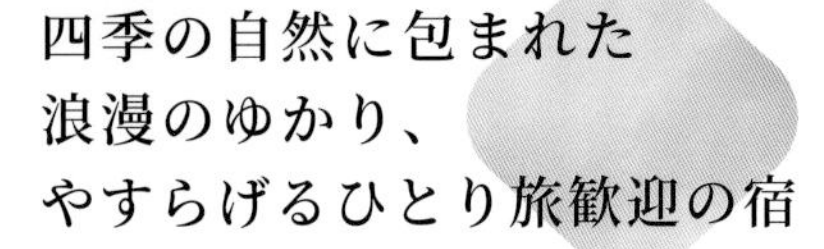

四季の自然に包まれた 浪漫のゆかり、 やすらげるひとり旅歓迎の宿

1936（昭和11）年、前身の宿において文豪「太宰治」が川端康成の勧めで薬物中毒の転地療養をしたと知られる「旅館たにがわ」。効能顕著、湯量豊富な温泉と谷川岳の景観は、今なお訪れる人にやすらぎを与える。

自然林の雄大さを望む客室は落ち着いたしつらえで、眺望も重視した配置。四季折々の眺めにいつ訪れても満足させられ、天気が良ければ谷川岳の景色も楽しめる。

食膳は、旬を最大限に生かした調理で用意。夕食はギンヒカリ（ニジマス）の刺身や上州牛、朝食は焼き立てのお魚にお手製豆腐など約4品の提供に加え、小鉢約12種類をバイキング形式で自由に選べる。

約20種類の効能をもつ温泉は、源泉掛け流しの木の香り優しい檜風呂と銘石の三波石を贅沢に配した露天風呂。このほか、2つの貸切露天風呂も好評だ。

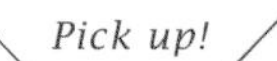

Pick up!

「太宰治ミニギャラリー」

太宰治ゆかりの温泉地として、館内には「太宰治ミニギャラリー」があり、本類や石碑、写真集などを自由に見ることができる。そのほか、リラックスルームなども備わり、客室以外の空間でもゆっくりと過ごすことができる。

DATA

りょかんたにがわ
https://www.ryokan-tanigawa.com/
〒379-1619　群馬県利根郡みなかみ町谷川524-1
☎ 0278（72）2468　FAX 0278（72）2470
Wi-Fi 使用可　外国語対応：英

■**交通**《車》関越自動車道 水上ICから国道291号を経由し水上方面へ7km、P50台（無料）《電車》JR上越線 水上駅からタクシーで7分 ※送迎有（要予約） ■**チェックin** 14:00 **out** 10:00 ■**食事**《夕食》料理茶屋《朝食》カフェラウンジ ■**部屋** 全28室（露天風呂付客室3室、和モダンベッドルーム9室、和室16室） ■**風呂** 男女別大浴場各1、露天風呂各1、貸切露天風呂（家族風呂）2（有料） ■**泉質** 単純温泉 ■**料金** 1万9000～3万7000円

左「旅館たにがわ」全景
右「橋本修」谷川岳フォトギャラリー

群馬×水上温泉郷 谷川温泉

別邸 仙寿庵

Senjuan

左 専用露天風呂で贅沢なひとときを 右上 自然の中を歩いているような空間を作り出す曲面廊下
右下「別邸 仙寿庵」全景

名峰・谷川岳を望む 五感に響くおもてなしの宿

谷川岳を借景に、おだやかな渓流のほとりに建つ「別邸 仙寿庵」。雄大な自然に抱かれた建物は、現代建築と伝統技術が融合し、上品で高級感あふれるたたずまいとなっている。

さまざまなニーズに応えるため、客室はそれぞれ趣向の異なるタイプを用意。そのすべてに露天風呂が備えられており、谷川岳の景観と共に源泉掛け流しの温泉を心置きなく堪能できる。また、大きな湯船でゆったりと入浴したいなら、男女別大浴場「一の蔵」や「仙の蔵」、露天風呂「すずむしの湯」、「ほたるの湯」もおすすめだ。

食事は地元群馬を中心とした旬の食材を厳選。奇をてらわない食材本来の味を、伝統的な調理方法と現代の料理でコラボレーション。ブランドニジマスのギンヒカリやシルクサーモン、増田牛、上州麦豚などを採用している。

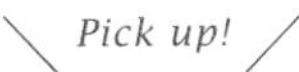

2022年オープン！ プライベートサウナ

「人生で1度は入りたいサウナ」をコンセプトに、自然の中で水と風と一体になり、自分と対話する特別な没入感を愉しめる完全予約制のプライベートサウナが誕生。谷川を眺めながら日頃の喧騒から解き放たれ、思う存分リフレッシュしたい。

左 次の間とテラスを備える客室
右 料理一例

DATA

べってい　せんじゅあん
https://www.senjyuan.jp/
〒379-1619 群馬県利根郡みなかみ町谷川614
☎ 0278(20)4141 FAX 0278(72)1860
Wi-Fi 使用可 外国語対応：英

■**交通**《車》関越自動車道 水上ICから約10分、P有(無料)《電車》上越新幹線 上毛高原駅から路線バスでJR上越線 水上駅へ、駅から送迎車で約8分 ■**チェックin** 13:00 **out** 11:00 ■**食事**《夕・朝食》個室食事処 ■**部屋** 全18室 ■**風呂** 大浴場2、露天風呂2 ■**泉質** カルシウム・ナトリウム一硫酸塩・塩化物温泉 ■**料金** 4万8550～9万2550円

左 ホタルの灯りを模した「蛍あかりの湯」 右上 露天風呂「火あかりの湯」 右下 ビュッフェ会場のライブキッチン

群馬×水上温泉

源泉湯の宿 松乃井

Matsunoi

4つの源泉から湯量豊富に湧き出す生の温泉を楽しむ

蒼き谷川岳を望む利根川のほとりに立つ「源泉湯の宿 松乃井」。5万坪の敷地内には、日本庭園「華松園」があり、ツリーハウスや大人向けのブランコがあり、水上の大自然を感じながら散策できる。

4本の豊富な自家源泉を満喫できる温泉は、ホタルをテーマとした露天風呂「蛍あかりの湯」や「火あかりの湯」、大浴場「月あかりの湯」と5つの貸切風呂、客室と浴場を結ぶ「めぐり湯回廊」もあり、より一層「湯」を楽しめる。源泉井戸から外気に触れずに鮮度を保ち、大浴場の湯殿の底から直接湧き上がらせている源泉は、まさに「生」温泉だ。

宿泊プラン選択により地産地消にこだわった和会席や旬の食材を使った和・洋・中の本格ビュッフェが味わえる。人気のライブキッチンでは、ステーキや職人の握りたて天然本マグロ寿司も味わえるのも嬉しい。

Pick up!

松ノ井別邸「四季の湯宿 桃山流」オープン

2023年7月下旬、全7室の半露天付素泊まりの温泉宿がオープン。窓からは谷川岳と利根川の豊かな自然と絶景を望む。客室には、冷蔵庫、サービスドリンク、テレビ、電子レンジ、Wi-Fiなども完備され、ゆっくりとした時の流れを感じながらロングステイを満喫したい。

DATA

げんせんゆのやど　まつのい
https://www.matsunoi.com/
〒379-1617　群馬県利根郡みなかみ町湯原551
☎ 0278(72)3200　FAX 0278(72)3210
Wi-Fi 使用可　外国語対応：英 中 台 他

■**交通**《車》関越自動車道 水上ICより約5km、P220台(無料)《電車》JR上越線 水上駅下車、徒歩15分 ※送迎有(要連絡)　■**チェックin** 15:00 **out** 10:00
■**食事**《夕食》レストラン、食事処《朝食》レストラン
■**部屋** 全232室　■**風呂** 大浴場3、露天風呂5、貸切風呂3、貸切露天風呂2　■**泉質** 弱アルカリ性単純泉　■**料金** 1万5000～8万円

左 露天風呂付客室
右「源泉湯の宿 松乃井」全景

群馬×万座温泉

万座温泉日進館

Manza Onsen Nisshinkan

木のぬくもりに包まれて 乳白色の硫黄泉が堪能できる 癒しの湯宿

標高1800mの国立公園内に湧き、万病に効果を表すという名湯、万座温泉。その大自然の中で天然温泉めぐりを楽しめ、心と身体の癒しを堪能できる宿が「万座温泉日進館」だ。

自慢のお風呂は4つの湯船が揃う大浴場「長寿の湯」をはじめ、展望露天風呂「極楽湯」、貸切風呂「円満の湯」など、心ゆくまで湯治を満喫することができる。

客室は、新館「湯房」のモダンな部屋を中心に、豊富なバリエーションから選ぶことができる。窓の外に広がる雄大な景色を眺めるひとときは、日頃の喧騒から解き放たれる瞬間だ。

料理は、夕食・朝食共にバイキング。安全な食材と調味料にもこだわったオリジナル料理で、夕食には和洋中の40品ものメニューが並ぶ。夕食後は、本館2階のロビーで開催される無料ライブも大好評だ。

上 大浴場「万天の湯」　下「万座温泉日進館」全景

DATA

まんざおんせんにっしんかん
https://www.manza.co.jp/
〒377-1528　群馬県吾妻郡嬬恋村干俣万座温泉2401
☎ 0279(97)3131　FAX 0279(97)3595
Wi-Fi 使用可　外国語対応：英

■**交通**《車》関越自動車道 渋川伊香保ICから国道145号を経由し120分、P100台(無料)《電車》JR吾妻線 万座鹿沢口駅から万座温泉行バスで45分、万座バスターミナル下車 ※送迎有(要予約)／東京から直行バス有
■**チェックin** 14:00 **out** 10:00　■**食事**《夕・朝食》メインダイニング　■**部屋** 全171室　■**風呂** 男女別大浴場「長寿の湯」(内湯4)各1、男女別展望露天風呂「極楽湯」各1、貸切風呂「円満の湯」、男女別大浴場「万天の湯」各1
■**泉質** 酸性硫黄泉　■**料金** 1万500〜2万4000円

左上 夕食バイキング(一例)　左下 新館「湯房」客室
右 大浴場「長寿の湯」　下 展望露天風呂「極楽湯」

今年2月にリニューアルオープンしたスイートルーム

群馬×草津温泉

草津白根観光 ホテル櫻井

Hotel Sakurai

桜花の如く、華やかに
楽しく人をもてなす宿

温泉情緒漂う草津温泉のなかでも、客室数169室の規模を誇り、他を圧倒するのが「草津白根観光 ホテル櫻井」。本客殿と地上15階建ての新客殿から成り、館内施設も充実。

今年2月には、新客殿2階ロビー「SAKURA LOUNGE」と、最上階のスイートルーム2部屋がリニューアルオープン。2つのベッドルームと浅間山の壮大な景色を眺めながら入浴できるビューバスを備えた客室は贅沢な空間が広がる。特別フロア宿泊者専用の「SAKURA LOUNGE」では、静かで優雅な雰囲気のなか、浅間酒造の地酒やワイン、本格コーヒー、キッシュやマカロンなどの軽食や至福のデザートをいただける。

草津の名湯は、露天風呂を併設した男女別大浴場や美しい日本庭園に面した浴場でのびのびと満喫できる。湯上りには長椅子から庭園を一望でき、夜の風情も格別だ。

至福のひとときを過ごせる「SAKURA LOUNGE」

上 女性露天風呂　下「ホテル櫻井」全景

Pick up!

湯もみショー・櫻太鼓ショー

「ホテル櫻井」では、名物の湯もみショーと櫻太鼓ショーを毎日開催している。「草津よいとこ一度はおいで」でお馴染みの草津温泉を代表する民謡、草津節に合わせて湯もみを体験できる。また、満開の桜をイメージしたオリジナル楽曲をスタッフが一打一打心意気を込めて演奏する和太鼓のリズムは、心と身体に響き、魂を揺さぶられるだろう。

DATA

くさつしらねかんこう　ホテルさくらい
https://www.hotel-sakurai.co.jp/
〒377-1711　群馬県吾妻郡草津町465-4
☎ 0279(88)1111　FAX 0279(88)2153
Wi-Fi 使用可　外国語対応：英 中 台 他

■**交通**《車》関越自動車道 渋川伊香保ICから草津温泉方面へ58km、碓氷軽井沢ICから草津方面へ55km、P200台(無料)《電車》JR吾妻線 長野原草津口駅からJRバス草津温泉行で25分、終点下車徒歩5分
■**チェックin** 15:00 **out** 10:00　■**食事**《夕食》食事処、レストラン《朝食》バイキング　■**部屋** 全169室
■**風呂** 大浴場、露天風呂　■**泉質** 酸性・含硫黄ーアルミニウム一硫酸塩・塩化物温泉　■**料金**《一般客室》1万6000〜3万3000円《貴賓室》3万5000〜12万4000円

群馬×磯部温泉

舌切雀のお宿 ホテル磯部ガーデン

Hotel Isobe Garden

家族やグループで気軽に訪れられる人気の宿

首都圏から近く、軽井沢へのアクセスの良さが人気の理由の一つとなっている温泉地、磯部温泉。なかでも創業90年を超える「ホテル磯部ガーデン」は、磯部温泉でも最大規模を誇る宿だ。

お風呂は2カ所で、数々の露天風呂やバリエーション豊かな浴槽で温泉三昧を楽しめるほか、地産地消の旬な食材を中心にした料理も見事。客室はWi-Fi完備の新客室をはじめ、スタンダードな和室のほかベッドタイプの部屋や貴賓室なども揃う。また、宴会場は大・中・小43区画の宴席を用意。5つの大型コンベンションホールもあり、大型の宴会や会議も安心して任せられる。

さらにロビーでは、サイボットシアターの上映や宿のキャラクター「おちゅん」の出迎えなど、思い出に残る上州の旅を存分に楽しむことができる。

Pick up!

公式キャラクター「おちゅん」のお出迎え

当館は群馬県西部に位置し、人気の軽井沢へもアクセス抜群。チェックイン前やチェックアウト後に、軽井沢観光も楽しめる。宿の玄関では、童話「舌切雀」の雀をモチーフにした公式キャラクター「おちゅん」とスタッフ一同が「笑顔」と「心からのおもてなし」でお客様をお出迎えしてくれる。

左 客室一例　右上 2階大浴場「楽山の湯」　右下 1階「楽水の湯」露天風呂

左 コンベンションホール平安
右「ホテル磯部ガーデン」全景

DATA

したきりすずめのおやど　ホテルいそべガーデン
https://www.isobesuzume.co.jp/
〒379-0127　群馬県安中市磯部1-12-5
☎ 027(385)0085　FAX 027(385)0055
Wi-Fi 使用可　外国語対応：英 韓 中 台

■**交通**《車》上信越自動車道 松井田妙義ICから国道18号を安中方面へ8km、P500台(無料)《電車》JR信越本線 磯部駅より徒歩5分　■**チェックin** 15:00 **out** 10:00　■**食事**《夕食》レストラン、料亭《朝食》朝食会場　■**部屋** 全120室　■**風呂** 男女別大浴場各2、露天風呂、サウナ　■**泉質** 塩化物泉　■**料金** 1万5000～5万円

左 大浴場「天峰の湯」 右上 創作和食一例 右下 創作イタリアン一例

栃木×那須温泉

ホテル森の風那須

Hotel Morinokaze Nasu

四季折々の豊かな自然と調和する大正ロマンに浸る宿

那須連山を染める夕景や、朝焼けの田園風景を心ゆくまで満喫できる那須高原のロイヤルリゾート「ホテル森の風那須」。落ち着いたたたずまいのクラシカルな大正建築に、どこか懐かしい雰囲気が漂う湯宿だ。

全室に大きな窓をしつらえた自然光がたっぷりと注ぎ込む明るい客室は、畳敷きの床に和ベッドを備えた和洋折衷の洗練されたインテリアが特徴。また、愛犬と一緒に泊まれる「愛犬同伴専用ルーム」もあり、一緒に旅の思い出を作ることができる。

温泉は「美人の湯」と名高い炭酸水素塩温泉。広大な那須連山を堪能できる天空の大パノラマを眼前に、なめらかなお湯に浸る至福の時間を楽しめる。

料理は那須の旬の食材を、コース仕立てでいただける。創作和食と創作イタリアンがあり、好みに合わせて選べる。

Pick up!

観光型農園「フルーツパーク森の風」

ホテル敷地内に隣接する「フルーツパーク森の風」は、イチゴをメインに季節ごとに色々な果樹や野菜の収穫を体験できる施設で、無添加ジャムや森の風シェフ監修のカレーなど、オリジナル商品も販売。想い出にプラス体験とお土産で記憶に残る旅を満喫できるだろう。

DATA

ホテルもりのかぜなす
https://morinokaze-nasu.com/
〒325-0302 栃木県那須郡那須町高久丙1179-2
☎ 0287(73)5572 FAX 0287(73)8513
Wi-Fi 使用可
外国語対応：フロントにてiPad通訳

■**交通**《車》東北自動車道 那須ICから約15分、P132台（無料）《電車》JR東北新幹線 那須塩原駅から車で約30分 ※送迎有（要予約） ■**チェックin** 15:00 **out** 11:00 ■**食事**《夕・朝食》レストラン ■**部屋** 全90室 ■**風呂** 男女別展望大浴場各1、男女別展望露天風呂各1、サウナ ■**泉質** ナトリウム・マグネシウム一塩化物・硫酸塩・炭酸水素塩温泉 ■**料金** 2万900～5万3900円（消費税・サービス料込、入湯税150円別）

左「ホテル森の風那須」全景
右 愛犬同伴専用ルーム

栃木×那須温泉

ホテル四季の館那須

Hotel shikinoyakata nasu

左 スイートルーム「金梅」 右上 本格的なフランス料理
右下 レストラン洋風個室

那須高原の季節を感じる大人のための雅の宿

本格的なフランス料理を味わう和心オーベルジュ「ホテル四季の館那須」。武家屋敷を思わせる建物は、豊かな自然に囲まれた約1万5000坪の「那須みやびの里」のなかに建ち、「ホテル森の風那須」に隣接している。

個室でいただく夕食は、那須特産の新鮮な高原野菜や肉、乳製品などをふんだんに使ったフランス料理。季節の料理や好みに合わせたワインや評判の那須ワインと共に、大切な人とゆっくりと堪能したい。

木のぬくもりと日本古来の色調でまとめられた全30室の客室は安らぎと落ち着きをもたらす和の空間。全室に檜風呂や陶器風呂など、趣向の異なる専用の温泉が部屋ごとに用意され、「美人の湯」と名高い温泉をひとり占めできる。館内には、庭園を眺める共用の半露天風呂や洋館のようなラウンジもあり、優雅なひとときを過ごすことができる。

Pick up!

「フルーツパーク森の風」トウモロコシ収穫体験

「フルーツパーク森の風」では、さまざまな体験プランを用意。夏の収穫体験では、夏イチゴ、ブルーベリー、トウモロコシなどを収穫できる。那須の朝晩の寒暖差が甘いトウモロコシを作り、朝採れの新鮮なトウモロコシは、想像以上の濃厚な甘さ。お土産として持ち帰りもおすすめだ。

左 共用の半露天風呂
右 客室の檜風呂

DATA

ホテルしきのやかたなす
https://www.shikinoyakata-nasu.com/
〒325-0302　栃木県那須郡那須町高久丙1179-2
☎ 0120(743)177　FAX 0287(73)5816
Wi-Fi 使用可
外国語対応：フロントにてiPad通訳

■**交通**《車》東北自動車道 那須ICから約15分、P132台(無料)《電車》JR東北新幹線 那須塩原駅から車で約30分 ※送迎有(要予約)　■**チェックin** 15:00 **out** 11:00　■**食事**《夕・朝食》個室　■**部屋** 全30室　■**風呂** 男女別半露天風呂各1　■**泉質** ナトリウム・マグネシウムー塩化物・硫酸塩・炭酸水素塩温泉　■**料金** 3万8650円～(税込)

鶴の絵が飾られためでたいしつらえのロビー

栃木×川治温泉

祝い宿 寿庵

Jyuan

歓びに満ちたひとときを紡ぎだす心を込めたおもてなし

鬼怒川と男鹿川が合流する峡谷に静かにたたずむ川治温泉の隠れ宿「祝い宿 寿庵」は、心のこもったおもてなしに定評のある宿だ。電車で訪れた際は、鬼怒川や日光への送迎サービスがあるのもうれしい。客室は、和風旅館の趣とモダンが融合した落ち着きあるたたずまいで、広縁からは庭園や日光の美しい山々が望める。

竹林に囲まれた露天風呂は、日本温泉協会から泉質、湯量とも5つ星に認定された自慢の湯。日没後は竹林がライトアップされ、幻想的な美しさが楽しめる。2023年4月には、「湯上りラウンジ」がオープンし、ドリンクやお菓子などが用意されゆっくりとくつろげる。

食事は、土鍋で炊いた栃木県産コシヒカリや栃木ならではの地元の食材、四季折々の旬の素材をふんだんに使った料理人こだわりの会席料理。大切な人と特別な日を満喫したい。

上 夜の露天風呂　下 特別な日を祝う「祝い膳」

上 朝食一例　下 掘りごたつを備えた客室

Pick up!

「湯上りラウンジ」オープン

2023年4月1日にオープンした「湯上りラウンジ」。ドリンク類は、生スパークリングワインや地酒、特製柚子ジュースやコーヒーなど豊富に揃う。そのほか、手作りと体験型のお茶菓子なども用意され、湯上り後の時間をゆっくりと楽しむことができる。

DATA

いわいやど　じゅあん
http://nikko-jyuan.com/
〒321-2611　栃木県日光市川治温泉川治52
☎ 0288(78)1101　FAX 0288(78)1104
Wi-Fi 使用可　外国語対応：英 台

■**交通**《車》東京方面より東北自動車道 宇都宮ICから日光宇都宮有料道路へ、今市ICより国道121号を経由し30分、P20台(無料)《電車》東京方面：東武鉄道 浅草駅より川治湯元駅または鬼怒川温泉駅から野岩鉄道 川治温泉駅より徒歩10分 ※送迎有(要予約) ■**チェックin** 15:00 **out** 11:00 ■**食事**《夕・朝食》ダイニング部屋 ■**部屋** 全24室 ■**風呂** 男女別露天風呂各2、内風呂各1 ■**泉質** 弱アルカリ性単純泉 ■**料金** 1万8000～4万円

栃木×日光温泉

日光千姫物語

Nikko Senhime Monogatari

左 特別室　右上 月替り懐石膳
右下 特別室の展望ソファ

「千姫気分」を味わう 眺望抜群の和風旅館 日光ではじまる物語

日光東照宮まで徒歩5分の純和風旅館「日光千姫物語」。なかでも「特別室」は、東南向きの窓から望む山と大谷川の大パノラマの眺望が人気。展望ソファでくつろげば、時の経過を忘れてしまうほど贅沢なひとときを過ごすことができるだろう。

料理長が腕をふるう月替り懐石膳は、日光・栃木の旬の食材をふんだんに使用。出汁にまでこだわって心を込めて手作りする料理は、旅行者に極上の思い出を提供するとともに、地域の持続的発展にも貢献している。

温泉は、「美肌の湯」とも称される肌にやさしい単純アルカリ泉。美容と健康をテーマに、庭園を望む露天風呂、ジェットバス、高温とミストの2つのサウナ（男性）、テルマーレミストサウナやシルキーバス（女性）などさまざまな施設でリラックスした時間を過ごせる。

Pick up!

ピアノの生演奏会

1階の「クラブ九重」では、毎日ピアノの生演奏会を開催している。天井には12星座が美しく輝く空間となっており、夕食後、ライトアップされた庭園を眺めながら落ち着いたひとときを過ごすことができる。

●19：30～21：00、無料

左 半露天風呂付客室
右「日光千姫物語」全景

DATA

にっこうせんひめものがたり

http://www.senhime.co.jp/
〒321-1432　栃木県日光市安川町6-48
☎ 0288(54)1010　FAX 0288(54)0557

Wi-Fi  使用可　外国語対応：英 韓 中 台 他

■**交通**《車》東北自動車道 宇都宮ICから日光宇都宮道路を経由し日光ICより約5分、P100台（無料）《電車》JR日光駅または東武日光駅からバスで約6分、総合会館前下車徒歩1分　■**チェックin** 15:00 **out** 11:00　■**食事**《夕・朝食》部屋食、食事処、ダイニングルーム　■**部屋** 全44室　■**風呂** 男女別大浴場各1、男女別露天風呂（ウッドデッキテラス付）各1、男女別ジェットバス各1、男女別ミストサウナ各1、乾式サウナ（男性）、シルキーバス（女性）　■**泉質** 単純アルカリ泉　■**料金** 2万～4万5000円

左 空中庭園露天風呂「昇龍の湯」 右上 ブッフェレストラン「Asaya Garden」 右下 秀峰館 最上階 眺望風呂付和洋室「雅」

栃木×鬼怒川温泉

あさや

Asaya

日本旅館130年のおもてなしで絆を深めるお手伝い

明治21年創業。130年もの歴史を誇り、名湯鬼怒川温泉を代表する日本旅館「あさや」。12階までの壮大な吹き抜けが印象的な「秀峰館」と、古き良き日本の宿を再現した「八番館」の2館から成る。

秀峰館の空中庭園露天風呂は、鬼怒川温泉で最も高い場所にあり、夜には満天の星が、昼間は眼下に広がる鬼怒川渓谷の絶景が一望できる。効能豊かな自家源泉「子宝の湯」は、大浴場だけでなくすべての客室で堪能でき、心も身体も癒される。貸切風呂「吉祥 打ち出の小槌の湯」では黒御影石の浴槽の「宝珠」、岩の浴槽の「宝鍵」、檜の浴槽の「丁子」、赤御影石の浴槽の「隠笠」から選んで楽しめる。

夕食はブッフェレストランやリニューアルオープンのレストラン、個室料亭など、好みや人数に合わせて選べるところがうれしい。

Pick up!

おすすめのお土産「あさや特製和牛カレー」

あさや総料理長のオリジナルレシピに基づいて作られたビーフカレー。厳選された黒毛和牛と30種類ものスパイスを使用。館内のレストランで提供していたカレーを「自宅でも楽しみたい」という要望から誕生した「あさや特製和牛カレー」。本格的なホテルの味を自宅でも満喫できる。

DATA

あさや
https://www.asaya-hotel.co.jp/
〒321-2598 栃木県日光市鬼怒川温泉滝813
☎ 0288(77)1111 FAX 0288(77)0643
Wi-Fi 使用可 外国語対応：英 韓 中 台 他

■**交通**《車》東北自動車道 宇都宮ICから日光宇都宮有料道路今市IC、国道121号を経由し15km、P400台(無料)《電車》東武鬼怒川線 鬼怒川温泉駅から日光交通ダイヤルバスで8分 ■**チェックin** 15:00 **out** 10:00 ■**食事**《夕食》ブッフェレストラン、レストラン「Wisteria」、個室料亭《朝食》ブッフェレストラン ■**部屋** 全192室 ■**風呂** 紅葉の湯、麻の湯、滝の湯(男性・女性) ■**泉質** アルカリ性単純泉 ■**料金** 1万6000～8万円

左 吹き抜けのロビー
右 レストランでの創作料理(一例)

栃木×鬼怒川温泉

鬼怒川グランドホテル 夢の季

Yumenotoki

四季のうつろいを 五感で楽しむ 喧騒を離れる湯宿

美しい日本庭園を囲むように設計された湯宿「鬼怒川グランドホテル 夢の季」。ロビーから外に目を転じると、季節により趣を変える鬼怒川随一の日本庭園が広がる。夜には月明かりのようにライティングされ、情緒あふれる景観だ。

鬼怒川の名湯を存分に楽しめる大浴場の庭園露天風呂では、旅情を満喫することができる。貸切露天風呂「かく恋慕」は木造りや石造り、陶器の風呂など5種類の露天風呂に畳の部屋が備わり、湯上り後もゆっくりとくつろげる。

夕食は、料亭「山科(やましな)」や和ダイニング「和伽那」、洋彩和膳「L`Amusant(ラミュゾン)」、レストラン「ファンタジー」で、四季のうつろいを楽しみながら旬の地元食材を生かした料理をいただける。手作り会席料理「旬彩篭盛会席」や、季節ごとに替わる別注料理も好評だ。

Pick up!

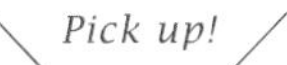

自社製オリジナルブランド商品「夢季百花(ゆめときひゃっか)」

料理長が丹精こめて作った「ふきのとう味噌」、「日光湯波の山椒煮」、「柚子胡椒」は、会席料理でも提供される人気の逸品。オリジナルのブルーベリーアイスやコンフィチュールなどもあり、地産地消の商品を作っている。売店やECサイトで販売しており、気軽に旅館の味を堪能できる。

左 大浴場きぬの夢「シルクバス」 右上 旬の地元食材を生かした夢の季特別会席「旬ごころ」 右下 和ダイニング「和伽那」お席一例

左 畳のお休み処付の貸切風呂かく恋慕「一休の湯」
右 四季折々の風情を楽しめる日本庭園

DATA

きぬがわグランドホテル　ゆめのとき
https://www.kgh.co.jp/
〒321-2522　栃木県日光市鬼怒川温泉大原1021
☎ 0288(77)1313　FAX 0288(77)3344
Wi-Fi 使用可　外国語対応：英

■**交通**《車》東北自動車道 宇都宮ICから日光宇都宮道路今市IC、国道121号を経由し約20分《電車》東武鬼怒川線 鬼怒川温泉駅から徒歩8分　■**チェックin** 15:00 **out** 10:00　■**食事**《個人》夕・朝食 料亭、レストラン　■**部屋** 全100室（一般客室38室、本館28室、別館30室、その他4室）　■**風呂** 男女別露天風呂各2、男女別大浴場各1 ※時間により男女入替制、貸切風呂、サウナ　■**泉質** アルカリ性単純泉
■**料金** 2万5000〜20万円

埼玉×般若の湯

二百年の農家屋敷 宮本家

Miyamotoke

囲炉裏で田舎料理を満喫する 7室のみの力士の宿

幕末の面影を残す日本家屋が印象的な秩父の温泉旅館「宮本家」。200年以上の歴史をもつ農家屋敷を改装した懐かしい造りの館内には、囲炉裏や薪で沸かす本物の五右衛門風呂などがあり、のんびりとした田舎時間を過ごせる。「宮本家」の当主は、大相撲元幕内力士。夕食にはここでしか味わえない「直伝農家屋敷風ちゃんこ鍋」のほか、自家農園の新鮮野菜や清流で育った川魚などを使った里山囲炉裏懐石を存分に堪能できる。

全7室のお部屋は、農家屋敷を改装した純和風の「母屋」と、陶器風呂が備えられた宮大工仕立ての古民家「別邸」。歴史を感じる装飾品や宮大工の技工に彩られている。客室風呂のほか、4カ所の貸切風呂は、相撲部屋の稽古場のような力士気分が味わえる唯一無二の縁起のいい「力士風呂」や「大釜風呂」など、バラエティ豊かに揃う。

Pick up!

秩父ふるさと村

当館より徒歩約10分の場所にある「秩父ふるさと村」。ここでは、野菜収穫、農園BBQ、ピザ作り、山羊のエサやり、そば打ち体験、竹細工、ニワトリの卵拾い、果実酒作りなどさまざまなプランが用意され、子供から大人まで非日常の体験を楽しむことができる。● 完全予約制

左「宮本家」外観　右上「宮本家」当主
右下 母屋の「力士風呂」

左 園庭の蔵を改造した「蔵BAR」。自家製の山の実酒、果実酒など50種の食前酒が楽しめる　右 当主自慢の「直伝農家屋敷風ちゃんこ鍋」

DATA

にひゃくねんののうかやしき　みやもとけ
https://www.miyamotoke.jp/
〒368-0102　埼玉県秩父郡小鹿野町長留510
☎ 0494(75)4060　FAX 0494(75)1416
Wi-Fi 使用可　外国語対応：ポケトークなど

■交通《車》関越自動車道 花園ICから国道140号、有料道路経由で約40分《電車》秩父駅または西武秩父駅からバスで約25分(西武秩父駅から送迎有 ※要予約)
■チェックin 14:00 **out** 10:00　**■食事**《夕食》炉端処、食事処《朝食》食事処　**■部屋** 全7室
■風呂 客室風呂、貸切風呂4　**■泉質** 単純硫黄泉
■料金 2万3500〜2万9500円(平日)、2万6500〜3万2500円(休前日)、2万9500〜3万5500円(年末年始・GW・その他特定日料金)※公式HPからの予約で1名当り500円引き

茨城×五浦温泉

五浦観光ホテル
和風の宿本館／別館大観荘

〈HP〉

Itsuura Kanko Hotel

左「別館 大観荘」全景 天心が想い大観が描いた五浦
右「旧横山大観邸離れ露天風呂付特別室」大観画伯のアトリエ兼住まい。親子三世代、友人との集いの機会に

今なお芸術家を魅了する日本美術の聖地にたたずむ温泉宿

日本画の巨匠、横山大観が好んで描いた老松の緑、五浦の日の出、月の出。「五浦観光ホテル」は大観の師、岡倉天心が沈思黙考した六角堂を臨む文化の香り高い地に建つ宿。

館内では、天心の名著『茶の本』にちなみ、夕方ロビーにて抹茶のサービスを提供し、一期一会のおもてなしの心を伝えている。

温泉は、評論家も絶賛する源泉掛け流しの贅沢な湯。本館「五浦の湯」の庭園露天風呂では、風情ある滝を臨み、ゆったりとくつろぐことができる。別館「大観の湯」は一幅の日本画のような海の景色に溶け込む一体感を満喫できる天然温泉だ。

10〜3月の期間は、あんこう料理が旬。11月からは、週末の吊るし切り実演も見応え抜群だ。このほか、新鮮アワビや目光の唐揚げ、あん肝など、多彩な地元の恵みをぜひ堪能したい。

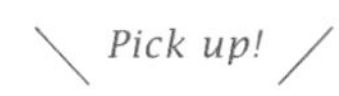

五浦名物 あんこう鍋セット

当館名物の「あんこう鍋」をお土産や贈り物として楽しめる商品。北茨城の港で水揚げされたばかりの新鮮なあんこうのみで作った逸品で、老舗の味覚をそのままに、あん肝たっぷりの濃厚なお出汁は絶品。冷凍商品で売店またはHPから通販にて購入できる。

左 別館大観荘「大観の湯」
右 本館離れ特別室 木村武山ゆかりの「武山邸」

DATA

いつうらかんこうホテル
わふうのやどほんかん／べっかんたいかんそう

https://www.izura.net/
〒319-1702 茨城県北茨城市大津町722
☎ 0293(46)1111 FAX 0293(46)5748
Wi-Fi 使用可 外国語対応：英

■交通《車》常磐自動車道 北茨城ICから国道6号をいわき市方面へ12km、P100台（無料）《電車》JR常磐線 特急スーパーひたちで、品川・東京・上野から磯原駅または勿来駅まで約2時間 **■チェックin** 15:00 **out** 10:00 **■食事**《夕・朝食》大広間 **■部屋** 全103室 **■風呂**《和風の宿本館》男女別大浴場各1、庭園露天風呂各1 《別館大観荘》男女別大浴場各1、太平洋眺望露天風呂各1 **■泉質** ナトリウムカルシウム塩化物泉 **■料金** 1万8700〜8万6900円

天空庭園露天風呂「誓願の湯」

千葉×小湊温泉

満ちてくる心の宿 吉夢

Kichimu

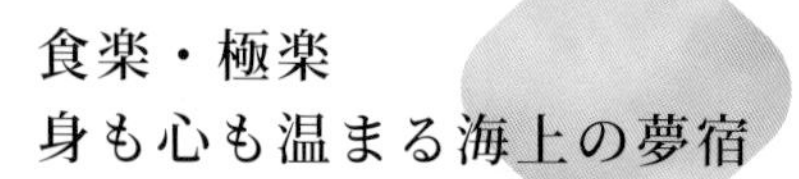

食楽・極楽
身も心も温まる海上の夢宿

日蓮聖人誕生の地、天津小湊。日蓮ゆかりの大本山誕生寺の門前にたたずむのが「満ちてくる心の宿 吉夢」だ。屋号の「吉夢」とは、「来館のお客様に良い夢を見ていただけるように」との願いから命名された。客室は、和室、洋室、和洋室タイプの一般客室から露天風呂付客室、新設された展望風呂付の和洋スイートまで多種多彩に揃う。

夕食は、黄綬褒章を受章した総料理長が新鮮な魚介を使い、腕を振るう和食会席を料亭「阿うん」、お食事処「夢あかり」で。新しく完成したグリルレストラン「GOKAN-五感-」では、鉄板焼きで調理された和洋創作料理を満喫できる。

地上35mの天空庭園風呂では、雄大な大海原とうつろう景色を眺めながら癒しの時を堪能。「夕日百選の宿」にも選ばれ、目の前で力強くオレンジ色に輝く夕日は感動を与えてくれる。

DATA

みちてくるこころのやど　きちむ
https://www.kichimu.com/
〒299-5501　千葉県鴨川市小湊182-2
☎ 04（7095）2111　FAX 04（7095）2125
Wi-Fi 使用可　外国語対応：英中台

■**交通**《車》館山自動車道 君津ICから県道君津鴨川線、房総スカイライン、鴨川有料道路経由、鴨川から国道128号を勝浦方面へ45km、P100台（無料）《電車》JR外房線安房小湊駅から徒歩15分 ※送迎有 ■**チェックin** 15:00 **out** 10:00 ■**食事**《夕食》グリルレストラン「GOKAN-五感-」、部屋食または料亭「阿うん」、お食事処「夢あかり」《朝食》バイキング ■**部屋** 全92室 ■**風呂** 男女別展望大浴場各1（サウナ付）、天空庭園露天風呂3、貸切露天風呂1、露天風呂付客室12 ■**泉質** 炭酸水素塩泉 ■**料金** 2万～5万円

上 天空庭園露天風呂「誕生の湯」 下左 露天風呂付客室（一例） 下右 客室からのオーシャンビュー（一例）

Pick up!

「CLUB FLOOR 空 -SORA-」誕生

本館「夢亭」最上階に特別な客室4室から成るプレミアムフロアが誕生。100㎡のスイートルーム「蒼天」の窓から見える朝・夕の景色は、まるで絵画のよう。客室内の冷蔵庫にはシャンパンが用意され、新設されたレストランでも時間限定のうれしいドリンクサービスが。海や夕陽を眺めながら贅沢な時間を過ごすことができる。

左上下 地産地消にこだわった料理 右上 料亭「阿うん」 右下 グリルレストラン「GOKAN -五感-」

芦ノ湖とホテル外観

神奈川×元箱根温泉

ホテル四季の館箱根芦ノ湖

Hotel shikinoyakata hakone ashinoko

箱根の美しい四季を感じる雲海の宿

芦ノ湖を見下ろす抜群のロケーションに建つ「ホテル四季の館 箱根芦ノ湖」。柔らかな箱根の湯を満喫できる大浴場では、刻々と表情を変える芦ノ湖の景観を眺めながら温泉浴を楽しめる。

しつらえの異なる全30室の客室には、すべてに檜風呂の温泉露天風呂を完備。プライベートな空間で時間を気にすることなく、至福の時間を過ごすことができる。

こだわりの夕食は、相模湾の新鮮な魚介やとろけるような甘さの神奈川ブランド牛、旬の食材を使った創作フレンチ。味はもちろん、目でも楽しめるシェフ渾身の料理を、箱根の美しい自然を感じながら堪能したい。館内には、日本画家の郷間正観氏の書画作品計112点が展示されており、まるで「泊まれる郷間美術館」。日常から離れた心豊かな時間を過ごすことができる。

上 スイート客室露天風呂　下 スイートルーム「赤富士」

上 夏の会席フレンチ　下 レストラン個室

Pick up!

バルコニーから眺められる「雲海」

雲海が発生する気象条件は、「夜間によく晴れて気温が下がること」「日中と夜間の気温差が大きいこと」「風が無いこと」。夜明け前から早朝に発生しやすいので、少し早く起きてカーテンを開けると、幻想的な世界に出会えるかも知れない。

DATA

ホテルしきのやかたはこねあしのこ
https://www.shikinoyakata-hakone-ashinoko.com/
〒250-0522
神奈川県足柄下郡箱根町元箱根大芝103-241
☎ 0120(489)166　FAX 03(6268)9324
Wi-Fi 使用可
外国語対応：フロントにてiPad通訳

■**交通**《車》東名高速道路 芦ノ湖大観ICまたは箱根峠ICより約10分、P30台（無料）《電車》小田急線 箱根湯本駅から車で約25分またはJR小田原駅から送迎有（要予約）　■**チェックin** 15:00 **out** 11:00
■**食事**《夕・朝食》レストラン　■**部屋** 全30室
■**風呂** 男女別大浴場各1、男女別露天風呂各1
■**泉質** 単純硫黄温泉　■**料金** 4万7300円～（税込）

甲信越

長野・美ヶ原温泉 翔峰（P.54）

山梨×信玄の湯 湯村温泉

常磐ホテル

Tokiwa Hotel

創業95年の歴史と伝統を紡ぐ甲府の迎賓館「常磐ホテル」

今年、創業95年を迎えた「常磐ホテル」は、皇室や多くの文豪も逗留した格調高い湯宿だ。敷地内には、松を基調とした3000坪の日本庭園が四季折々に彩られ、日本を代表する名園の一つとして親しまれている。庭園を囲むように配された広々とした客室からは、南アルプスや富士山を望め、7棟8室の「離れ」は日本建築の技と美を随所に凝らした、木と畳のぬくもりを感じるたたずまい。

1200年の歴史を持つ温泉は、黒い御影石を使用した重厚な雰囲気の大浴場や、彩光が降りそそぐ赤い御影石に囲まれた浴槽の大浴場、庭園を望む露天風呂などが揃い、身も心もつるつるに癒されるだろう。

夕食は、上質な霜降りが特徴の甲州牛や、水揚げしてすぐに空輸された「日本近海産生本まぐろ」など、優れた素材を生かした会席料理を満喫したい。

DATA

ときわホテル
https://tokiwa-hotel.co.jp/
〒400-0073 山梨県甲府市湯村2-5-21
☎ 055(254)3111 FAX 055(253)0691
Wi-Fi 使用可 外国語対応：英

■**交通**《車》中央自動車道 甲府昭和ICより国道20号・県道富士見バイパス線を約6km、P250台(無料)《電車》JR中央本線 甲府駅よりバスで15分、湯村温泉入口下車、徒歩1分 ■**チェックin** 15:00 **out** 11:00 ■**食事**《夕食》部屋食、食事会場《朝食》食事会場 ■**部屋** 全50室 ■**風呂** 男女別大浴場各1、男女別露天風呂各1 ■**泉質** ナトリウム・カルシウムー塩化物・硫酸塩泉 ■**料金** 3万～7万円

日本庭園を眺めながら贅沢な時間を過ごす

上左 喫茶「ラウンジ花梨」 上右 1200年の歴史を誇る信玄の湯 湯村温泉 下左 日本庭園を眺める東館和洋室 下中 個室食事処「桜」 下右「常磐ホテル」外観

甲州牛と石和温泉を満喫する「石和常磐ホテル」

常磐ホテルの姉妹館、「石和常磐ホテル」。石和温泉駅からタクシーで約5分と便利な場所に位置する。

山梨県の最高級ブランド「甲州牛」を贅沢に堪能できる自慢の料理は、甲州牛の握り・せいろ蒸し・しゃぶしゃぶ（またはすきやき）・溶岩石焼きがすべて楽しめる「プレミアム甲州牛会席」が人気。朝食も「朝から牛丼！」と、肉好きにはたまらない内容である。

客室は、和室、洋室、和室ベッドのほか、ロングデスクを備えたワーケーション対応のお部屋も揃う。

美肌の湯として名高い石和温泉を満喫するお風呂は、男女別に大浴場と源泉掛け流しの露天風呂、またすべての客室のお風呂も温泉のため、時間を気にせずゆっくりと堪能できる。ロビーでは、うれしい「ほうとう汁」の無料夜食サービスを毎日開催している。

（石和常磐ホテル ☎ 055-262-6111
〒406-0024 山梨県笛吹市石和町川中島1607-14
料金 1万5000〜2万5000円）

Pick up!

銀座老舗の姉妹店「ペントハウス甲州」

「常磐ホテル」の離れにある食事処を改装し、東京・銀座の老舗ステーキハウス「ペントハウス」の姉妹店として、2021年11月1日にオープン。最上級の甲州牛を厳選し、本家直伝の調理法や味付けで提供。ステーキに合う山梨県産ワインも豊富に取り揃えている。

左「プレミアム甲州牛会席一例」 中 源泉掛け流しの露天風呂 右「石和常磐ホテル」外観

山梨×富士山石和温泉

銘石の宿 かげつ

Kagetsu

風格あるたたずまいが美しい「かげつ」

美しくさりげなく、伝統ある寂の心を伝える

落ち着いた数寄屋造りの和風建築、手入れの行き届いた日本庭園、敷地内に配された銘石の数々が調和する「銘石の宿 かげつ」。松やサツキなどが美しい庭園には、1万匹余りの鯉が泳ぐ池や20カ所もの滝があり、湯上りの散策を楽しませてくれる。露天風呂もこの庭園の中に位置し、緑と巨石に囲まれた美しい造りとなっている。

ゆったりと広い客室は、庭園を囲んで建つ「西殿」、「奥殿」、「東殿」、「中殿」、「南殿」にある。通常和室が新たに和洋室へと改装され、次の間付客室が2室、露天風呂付客室が1室となった。

夕食は、食材をはじめ、器などの細部までこだわった旬の逸品を味わえる。新たに完成した食事処「桃源亭」では堀座卓室や高座椅子対応室が備えられており、より幅広い客層にも対応できるようになった。

DATA

めいせきのやど　かげつ
https://www.isawa-kagetsu.com/
〒406-0024　山梨県笛吹市石和町川中島385
☎ 055(262)4526　FAX 055(263)2205
Wi-Fi 使用可　外国語対応：英 中

■**交通**《車》中央自動車道 一宮御坂ICから10分、P100台(無料)《電車》JR中央本線 石和温泉駅からタクシーで5分　■**チェックin** 15:00 **out** 10:00　■**食事**《夕食》部屋、食事処(個人)、宴会場(団体)《朝食》部屋、食事処(個人)、グリル(団体)　■**部屋** 全36室[露天風呂付客室7室(内3室和洋室)、次の間付客室17室(内2室和洋室)、一間客室9室、特別室3室]
■**風呂** 男女別大浴場、大露天風呂、サウナ風呂
■**泉質** アルカリ性単純温泉(低張性アルカリ性高温泉)
■**料金** 2万2400円～

上左 錦鯉が泳ぐ情緒あふれる日本庭園　上右 彩り豊かな懐石料理　中左 テラス付 半露天風呂付 客室「135号室 天下」
中右 露天岩風呂　下 広々としたロビー

Pick up!

「かげつ別邸〜The ONE〜」オープン

「かげつ」の奥の殿が今年8月1日に、愛犬と泊まれる宿「かげつ別邸〜The ONE〜」としてリニューアルオープン。自慢の日本庭園を眺めながら、広々としたお部屋でペットと一緒に特別な時間を過ごすことができる。

左 和洋室一例
右 男性用露天風呂

左 岩大露天風呂「六花仙」　右上 客室一例　右下 地元の食材にこだわった絶品料理

山梨×富士山石和温泉

華やぎの章 慶山

Keizan

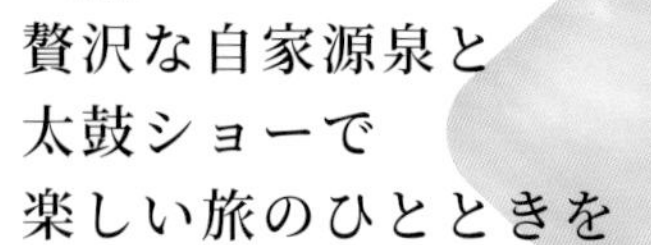

贅沢な自家源泉と太鼓ショーで楽しい旅のひとときを

駅から徒歩5分の好立地に建つ「華やぎの章 慶山」は、湯量豊富な大自噴温泉が自慢の宿だ。大浴場のほかに檜、岩の2つの露天風呂で楽しめる湯は柔らかな感触が特徴で、肌がつるつるになると大人気だ。今年2月には、ポーラ・オルビスの肌科学研究で「バリア・オアシス温泉」と認定。肌本来の保水力を活かしたモイスチャー温泉で、うるおいを与えながら健やかな肌を保つことができる。この温泉は、露天風呂付客室「昌客殿」、露天風呂・サウナ付特別室「～和～」でも満喫できる。

評判の会席料理や種類豊富なバイキングは、地元の旬素材を生かしたここだけの味。牛鉄板焼処「千」や、板前割烹「昌」では、また一味違うおもてなし料理がいただける。食後には、毎晩開催中の「慶山太鼓ショー」を満喫。一心に打ち鳴らす太鼓は迫力満点で必見だ。(中止の場合あり)

Pick up!

慶山オリジナル商品

お客様の〝美味しい〟をお土産にした慶山オリジナル商品。人気の「慶山漬け」や「桜肉甲州煮」、「いかの塩辛」、ドレッシングなど、すべて手作りの逸品。「慶山」の本格的な味を家庭でも気軽に堪能できる。売店で購入、商品の発送も行っている。

DATA

はなやぎのしょう　けいざん

https://keizan.com/
〒406-0031　山梨県笛吹市石和町市部822
☎ 055(262)2161　FAX 055(262)4162
Wi-Fi 使用可(客室・ロビー)　外国語対応：英

■**交通**《車》中央自動車道 一宮御坂ICより国道20号を経由し約10分、P有(無料)《電車》JR中央本線 石和温泉駅から徒歩5分 ※無料送迎有　■**チェックin** 15:00 out 10:00　■**食事**《夕食》個室、広間《朝食》バイキング会場　■**部屋** 全116室　■**風呂** 男女別大浴場各1、男女別露天風呂各1　■**泉質** アルカリ性単純泉　■**料金** 1万3000～5万円

左 慶山太鼓ショー
右「慶山」全景

山梨×甲州西山温泉

全館源泉掛け流しの宿 慶雲館

Keiunkan

ギネス世界記録に認定された世界で最も歴史のある旅館

約1300年前の開湯以来、西山温泉は早川渓谷の秘湯として多くの人に愛されてきた。なかでも、705年創業の「全館源泉掛け流しの宿 慶雲館」は、2011年に「世界で最も歴史のある宿」としてギネス世界記録に認定された老舗だ。館内は日本建築の美を集結した純和風の造りで、数寄屋造りの客室は気品が漂う。

歴史を重ねた源泉掛け流しの温泉は、湯量毎分1632ℓと掘削源泉として日本随一の量を誇り、6つのお風呂はもとより給湯やシャワー・客室風呂にいたるまで加温・加水なしの全館源泉掛け流しを贅沢に楽しむことができる。

食事は、一品一品運ばれる彩り豊かな深山会席料理。渓流のヤマメやイワナ、地元の山菜など南アルプスならではの旬の食材がアレンジされ、美しい和の伝統を感じさせてくれる。

上 展望大浴場「桧香の湯」
下 幽玄のたたずまいを見せる外観

Pick up!

身延山 久遠寺

鎌倉時代に日蓮聖人によって開かれた日蓮宗の総本山、久遠寺。建立から約750年の歴史を誇り、宝物館では国宝・重要文化財・指定文化財を数多く所蔵している。境内の祖師堂(写真)前と仏殿前に立つ樹齢約400年の2本のシダレザクラは、県内有数の花見スポットとして知られている。

DATA

ぜんかんげんせんかけながしのやど けいうんかん
https://www.keiunkan.co.jp/
〒409-2702 山梨県南巨摩郡早川町西山温泉
☎ 0556(48)2111 FAX 0556(48)2611
Wi-Fi 使用可 外国語対応：英

■**交通**《車》中部横断自動車道「下部温泉早川IC」から県道37号線を通って約60分、P50台(無料)《電車》JR身延線 身延駅から山梨交通バス 奈良田行で90分、西山温泉下車 ※送迎バス有(13:40、要予約) ■**チェックin** 15:00 **out** 10:00 ■**食事**《夕・朝食》個室会場または宴会場 ■**部屋** 全22室 ■**風呂** 露天風呂、サウナ、大浴場 ■**泉質** ナトリウム・カルシウム・硫酸塩・塩化物泉 ■**料金** 2万3000円～5万5000円

上 会席料理の一品「西山温泉名物 どんぐり麺」 中 露天風呂付特別客室 下 桶型の源泉掛け流し展望野天風呂

「露天風呂富士山」

山梨×富士山温泉

富士山温泉 ホテル鐘山苑

Hotel Kaneyamaen

四季のうつろいを奏でる
安らぎの宿で
心とからだを潤す

四季の花に彩られた約2万5000坪もの庭園が迎えてくれる「富士山温泉 ホテル鐘山苑」。富士を仰ぎ見る庭園を散策すれば、穏やかな気持ちになれるだろう。

湯船が3段に連なった「露天風呂富士山」では、ゆったりと温泉に浸かりながら遮るもののない絶景を一望。このほかにも「大浴場赤富士」や「庭園足湯」など多彩なお風呂が揃い、充実した湯めぐりを満喫したい。

客室は、人数に合わせて選べる数種類のお部屋タイプや全室露天風呂付の「燦里(さんり)」、「ゆらく山彦亭」のほか、専用の庭園、檜風呂、露天風呂が整う貴賓室も併設。また、毎夜開かれる「霊峰太鼓ショー」や夏休み期間に行われるイベントも好評だ。そのほか、館内350カ所以上に異なる生け花が飾られており、館内にいながらも四季のうつろいを感じることができる。

上 露天風呂付客室「燦里」
下 解放感あふれる女性用露天風呂

上 お客様の目を楽しませる館内の生け花
下 連日開催される「霊峰太鼓ショー」

Pick up!

癒しの穴場スポット「鐘山の滝」

当館から車で5分、徒歩で20分ほどの場所にあり、落差約10mの「鐘山の滝」。山中湖や忍野八海をもととする桂川の滝で、昔から地元の人々の夏の癒しスポットとして愛されてきた。2023年には新しくデッキが完成し、夜にはライトアップされた幻想的な滝を見ることができる。

DATA

ふじさんおんせん　ホテルかねやまえん
https://www.kaneyamaen.com/
〒403-0032　山梨県富士吉田市上吉田東9-1-18
☎ 0555(22)3168　FAX 0555(22)3935
Wi-Fi 使用可　外国語対応：英(不在時あり)

■**交通**《車》中央自動車道 河口湖ICから国道138号を経由し4km、P300台(無料)《電車》富士急行線 富士山駅からタクシーで10分 ※送迎バス有(要連絡)
■**チェックin** 15:00 **out** 10:00　■**食事**《夕食》プランにより異なる《朝食》バイキング会場
■**部屋** 全122室(うち特別フロア「別墅然然」17室)
■**風呂** 男女別大浴場(露天風呂付)、屋上大露天風呂(男女入替制)　■**泉質** カルシウム・ナトリウム－硫酸塩泉　■**料金** 3万～4万5000円

山梨×富士河口湖温泉

秀峰閣 湖月

Kogetsu

富士山と湖の絶景を望む足湯テラスと露天風呂付客室がリニューアルオープン

富士を眺める一等地、河口湖の北岸に建つ「秀峰閣 湖月」。2023年3月には、庭園テラスが「富士山眺望足湯テラス」として、河口湖温泉の源泉を引き込んだ足湯に浸かりながら、富士山と河口湖の景色が楽しめるよう生まれ変わった。さらに3階フロアの4室が温泉露天風呂付客室に改装され、全室にベッドが備わりダイニングスペースではゆったりと部屋食を満喫することができる。

パノラマウィンドウの内湯と東屋に玉砂利、松の植栽で演出された露天風呂からは、絵画のように見事な富士の姿が広がる。なかでも、冬の朝焼けに染まる富士は息をのむ美しさだ。

夕食は旬の食材を徹底的に吟味し、地元の素材も生かした調理長自慢の和食会席料理。部屋食や個室会食場で、大切な人と気兼ねなく堪能したい。

Pick up!

河口湖のアクティビティ

「秀峰閣 湖月」では宿泊者が河口湖周辺で充実した時間を過ごせるように、自転車や釣り道具の貸し出しを行っている。また、テニスコートや富士山麓の林間にあるゴルフコース、手こぎボートやモーターボートの手配も可能だ。宿泊の際は河口湖の湖畔でこれらのアクティビティを思いっきり満喫したい。

左 リニューアルした温泉露天風呂付客室
右上「富士山眺望足湯テラス SUIGETSU―水月―」
右下 足湯付和室

左 男性用露天風呂「黒富士」
右「秀峰閣 湖月」全景

DATA

しゅうほうかく　こげつ
https://www.kogetu.com/
〒401-0304
山梨県南都留郡富士河口湖町河口2312
☎ 0555(76)8888　FAX 0555(76)8940
Wi-Fi 使用可　外国語対応：英

■**交通**《車》中央自動車道 河口湖ICから国道139号を精進湖・本栖湖方面へ、国道137号を甲府方面へ8km、P60台(無料)《電車》富士急行線 河口湖駅からタクシーで10分　■**チェックin** 15:00 **out** 10:00
■**食事**《夕食》部屋食(5人以上は食事処)《朝食》レストラン　■**部屋** 全45室(和室30室、和洋室2室、足湯付客室5室、露天風呂付客室8室)　■**風呂** 男女別大浴場各1(各露天風呂付、男性用はサウナ、女性用はスチームサウナ有)　■**泉質** 硫酸塩・塩化物泉
■**料金** 2万6400～5万1700円

見はらし露天風呂「富士の湯」

山梨×富士河口湖温泉

若草の宿 丸栄

Maruei

リボン宿ネット

〈PC〉

〈スマホ〉

世界遺産の富士山のふもと 郷土の風情と 人情が香る日本旅館

河口湖の雄大な自然に抱かれた「若草の宿 丸栄」は、富士山麓の風情と人情を伝える日本旅館として、旅人を癒す上質なくつろぎの提供に日々心を尽くしている。

国際観光地にありながら喧騒を離れた静かなロケーションが人気の宿で、旬の味覚と滋味豊かな郷土の幸の妙なる調べは「料理の丸栄」として地元でも定評がある。

世界遺産の情景を堪能する見はらし露天風呂は、雄大な富士を目前に望む「富士の湯」と、河口湖が眼下に広がる「湖の湯」。日々千変万化する富士の姿を独占できる貸切展望風呂「芙蓉の湯」や、銘石大浴場「豪壮アルプスの湯」、女性にやさしい工夫が施された「若草の湯」など、5カ所の湯処で富士山の名湯を満喫できる。

客室は、露天風呂付和室をはじめ、展望風呂付の和洋室、純和風特別階「野の花亭」など、多彩なタイプが揃う。

DATA

わかくさのやど　まるえい
https://maruei55.com/
〒401-0302
山梨県南都留郡富士河口湖町小立498
☎ 0555(72)1371　FAX 0555(72)2568
Wi-Fi 使用可　外国語対応：英

■**交通**《車》中央自動車道 河口湖ICから国道139号を経由し約3km、P100台(無料)《電車》富士急行線河口湖駅から西湖方面行バスで約10分「若草の宿 丸栄」下車　■**チェックin** 14:00 **out** 11:00　■**食事**《夕食》部屋食または個室食事処《朝食》朝食会場　■**部屋** 全50室(45室+野の花亭5室)　■**風呂** 大浴場2、露天風呂2、サウナ3、貸切展望風呂1　■**泉質** 硫酸塩・塩化物泉　■**料金** 2万8000円〜

上 旬の幸と里の幸が見事に調和した料理　下左「若草の宿 丸栄」全景　下右 屋上をまるごと開放した「富士山展望台」

丸栄の前から続く湖畔の遊歩道

「丸栄」の前から続く湖畔の遊歩道では、豊かな自然の中、鳥たちのさえずりに心癒され、広い空と澄んだ空気に抱かれながら、ゆったりとした散歩が楽しめる。天気が良い日には、大自然満喫の湖畔散歩を堪能したい。

▼上左 富士山の見える貸切展望風呂「芙蓉の湯」(予約は宿泊当日の到着順、有料)　上右 日本各地の銘石を集めた大浴場「豪壮アルプスの湯」　下左 麗しい湖畔の風景が広がるサロン「秋桜」　下右 見はらし露天風呂「湖(うみ)の湯」

長野×湯田中温泉

一茶のこみち 美湯の宿

Biyunoyado

湯にこだわり湯守りが繋いだ開湯1300年の歴史の湯

信州を代表する湯処、湯田中の高台に建ち、周囲に北信五岳や北アルプスが広がる自然豊かな美しい眺望に恵まれた「一茶のこみち 美湯の宿」。かの小林一茶も愛した1300年の歴史を誇る名湯を含め、3つの源泉を有する贅沢な源泉掛け流しの温泉が自慢の宿だ。

こんこんと湯が溢れる大浴場と露天風呂は、専任の湯守によって1日中湯量や温度が徹底して管理されている。露天風呂で清々しい信州の風を感じながら心地良い湯に浸かれば、心も体もほぐれるだろう。

楽しみな夕食は、信州の旬の山の幸や、千曲川の清流が育んだ天然の川魚などを会席でいただける。また、長野県独自の基準をクリアした長野県産トップブランドの牛肉「信州プレミアム牛」も用意されており、好みに合わせた調理方法で提供してくれる。

DATA

いっさのこみち　びゆのやど
https://yudanakaview.co.jp/
〒381-0401　長野県下高井郡山ノ内町平穏2951-1
☎ 0269(33)4126　FAX 0269(33)3800
Wi-Fi 使用可　外国語対応：英 中 台

■交通《車》上信越自動車道 信州中野ICから国道292号を志賀方面へ約20分、P35台(無料)《電車》JR北陸新幹線 長野駅から長野電鉄 湯田中駅より徒歩約10分 ※送迎有　■チェックin 15:00 out 10:00　■食事《夕・朝食》宴会場　■部屋 全46室　■風呂 男女別大浴場各1、男女別露天風呂各1、屋上貸切露天風呂　■泉質 弱アルカリ性単純泉　■料金 1万2000～3万3000円

周囲の山々を見渡せる岩露天風呂

上左 外湯「湯田中大湯」 上右 湯田中を一望できる屋上貸切露天風呂 下左 夜の正面玄関 下右 信州の旬の素材を使った和会席

＼ *Pick up!* ／

湯田中温泉 外湯めぐりのススメ

開湯1300年以上も歴史ある湯田中温泉。温泉街にはたくさんの共同浴場があり、当館の宿泊者も近隣の共同浴場が利用できる。なかでも一番のオススメは全国共同温泉番付にて東の横綱にも選ばれた「湯田中大湯」。中に入れば、タイムスリップしたような気分で湯田中温泉の歴史に思いを馳せながら極楽気分を満喫できる。

上左 外観は一茶にちなんだ抹茶色 上右 露天風呂付客室「一茶の間」 下 部屋タイプは和室、和洋、露天風呂付とさまざま

長野×美ヶ原温泉

美ヶ原温泉 翔峰

Shoho

左 貴賓室　右上 展望風呂「美しの湯」　右下 北アルプスを一望できるガーデンテラス

美しき信州。美しき松本。その絶景と癒しを堪能する旅へ

信州松本の郊外の高台に建つ「美ヶ原温泉 翔峰」。この地に湧く美ヶ原温泉は、奈良時代から1300年もの歴史をもつ効能豊かな古湯で、敷地内には豊富に湧き出る自家源泉を持っている。

浴槽前に巨大な水鏡を配し、夕暮れ時には目の前の山並みが水面に映る絶景のロケーションが自慢の展望風呂「美しの湯」、ジャグジーを兼ね備えた県内随一の広さを誇る庭園大浴場「束間の湯」、趣の異なる3種類の貸切風呂など、バリエーション豊かに揃う。

部屋の大きな窓からは雄大な北アルプスが望め、静かで落ち着けるたたずまい。夜には松本城下の美しい夜景が広がる。

食事は信州ならではの旬の食材を生かした料理。日本酒やワインなどの地元のお酒が豊富に揃い、料理に合わせて選ぶことができる。

季節ごとに変わる会席料理

左 県内最大級の広さを誇る大浴場
右 露天風呂付和洋室

DATA

うつくしがはらおんせん　しょうほう
https://www.hotel-shoho.jp/
〒390-0221　長野県松本市大字里山辺527
☎ 0263(38)7755　FAX 0263(38)7700
Wi-Fi 使用可　外国語対応：英

■**交通**《車》長野自動車道 松本ICから国道158号を経由し約25分、P100台（無料）《電車》JR中央本線 松本駅から路線バス 美ヶ原温泉行で約17分、「翔峰前」下車　■**チェックin** 15:00 **out** 10:00　■**食事**《夕食》ダイニング、個室会場にて和食会席《朝食》ダイニングにてバイキング　■**部屋** 全95室　■**風呂** 大浴場、露天風呂男女各1、展望風呂、貸切風呂、足湯　■**泉質** 単純温泉　■**料金** 1万9000円～

立ち湯「雪月花」

長野×扉温泉

扉温泉 明神館

Myojinkan

標高1050mの山中で約90年余り紡いできた和のつながり

1931年創業の渓谷にたたずむ一軒宿「扉温泉 明神館」。周囲を八ヶ岳中信高原国定公園の豊かな自然に囲まれた、心安らぐ非日常の休息を体験できる宿だ。2008年には厳格な審査をクリアしたホテル・レストランだけが認められた「ルレ・エ・シャトー」にも加盟した。

客室は純和風の和室からリビングや暖炉を備えたラグジュアリーな洋室、露天風呂付の客室などバリエーション豊かに揃う。どの部屋も、自然のなかにいるような心地良さを味わえる。

創業当時から「地産地消」を実践し、自家農園・扉農場で採れた新鮮な無農薬野菜や地元食材を使用した料理は「ナチュレフレンチ 菜」、「信州ダイニング TOBIRA」、レストラン「ヒカリヤ」でいただける。信州松本ならではの味を、好みやスタイルに合わせて選ぶことができる。

上 渓谷沿いの散歩道　下 扉ダムのダム湖

パワースポット「扉温泉 明神館」

「扉温泉 明神館」という名は、この土地に伝わる2つの神様の話より名付けられた。3体の龍神様が守る宿としても知られている。東に水、三方が山に囲まれ、2つの川が宿の横で交わり、風水では健康の気が上がるパワースポットとなっている。全国各地より「運気を変えたい」、「整えたい」という方が数多く訪れている。

今年誕生した客室「然 湯治」

上「信州ダイニングTOBIRA」
下 マイナスイオンあふれるオープンテラス

DATA

とびらおんせん　みょうじんかん
https://www.tobira-group.com/myojinkan/
〒390-0222　長野県松本市入山辺8967
☎ 0263(31)2301　FAX 0263(31)2345
Wi-Fi 使用可　外国語対応：英 韓 中 台 他

■**交通**《車》長野自動車道 松本ICから県道松本和田線で約40分、P乗用車25台、大型3台(無料)《電車》JR中央線 松本駅からタクシーで約30分 ※無料シャトルバス有(要予約)《飛行機》信州まつもと空港からタクシーで約50分 ■**チェックin** 15:00 **out** 12:00
■**食事**《夕食》レストラン、食事処《朝食》レストラン、食事処 ■**部屋** 全39室 ■**風呂** 男女別露天風呂付大浴場各1、男女別立ち湯各1、男女別寝湯各1
■**泉質** アルカリ性単純泉 ■**料金** 4万700円～

左・右上 露天風呂付特別室「23番」 右下 露天風呂付貴賓室「桜御殿」

長野×別所温泉

旅館 花屋

Hanaya

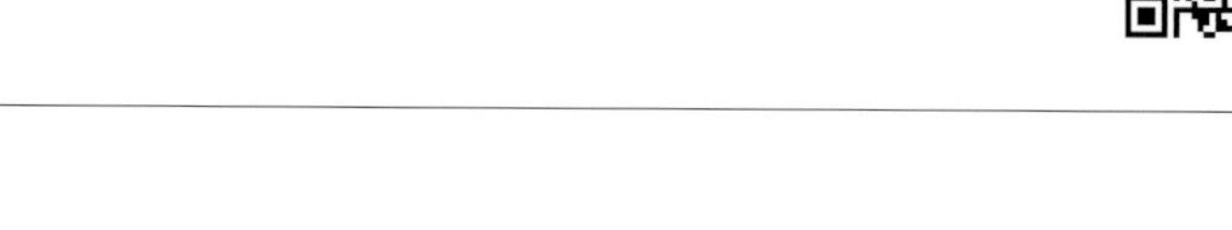

純日本建築と大正浪漫が織りなす四季

別所温泉駅から徒歩5分。石造りの花屋橋を渡るとそこには別空間が広がる。大正6年より継承された「旅館 花屋」は、別所温泉にくつろげる宿を作ろうと、地元の宮大工が腕によりをかけた老舗旅館だ。以来、伝統と文化を守り続け、現在は文化庁登録有形文化財に指定されている。

約6500坪の敷地には渡り廊下で結ばれた客室が点在し、建物独自の様式美は大正浪漫の趣を感じさせる。渡り廊下は四季の風を運び、宵は白熱灯の琥珀色が館内を染める。

客室は、露天風呂付特別室や上田藩武家屋敷の建具や建材を移築し、質実剛健な様式美を再現した檜露天風呂付貴賓室「桜御殿」ほか、宮大工の遊び心と心意気が息づくしつらえ。

食膳は料理長が丁寧に吟味した、旬の彩り豊かな食材で和の繊細さが際立つ会席料理がいただける。

Pick up!

「本館 THE MAIN」リニューアルオープン

2023年4月、大人のための別邸「本館 THE MAIN」全3室が誕生。リビングとツインベッドを設えた「花屋」初めての洋室に改装。約140㎡のラグジュアリースイート「椿」は、リビング、ダイニング、寝室、バスルーム付。窓からは中庭を一望することができ、贅沢な時間を過ごせる。

DATA

りょかん　はなや
https://www.hanaya.ne.jp/
〒386-1431　長野県上田市別所温泉169
☎ 0268(38)3131　FAX 0268(38)7923
Wi-Fi 全客室使用可

■交通《車》上信越道 上田菅平ICから上田バイパスを経由し約20km、P有(無料)《電車》上田電鉄別所線 別所温泉駅下車、徒歩5分 **■チェックin** 15:00 **out** 11:00 **■食事**《夕食》部屋食、食事処、個室のいずれか(選択不可)《朝食》食事処 **■部屋** 全32室 **■風呂** 男女別露天風呂各1、大理石風呂1、若草風呂1(大理石風呂と若草風呂は時間制による男女別入れ替え制) **■泉質** 単純硫黄泉 **■料金** 1万8000〜6万5000円

左 料理長渾身の会席料理に舌鼓
右 渡り廊下で日本の四季を愛でる

「湖畔混浴 空」(※湯あみ着着用の混浴エリア)

長野×白樺温泉

白樺リゾート 池の平ホテル

Ikenotaira Hotel

2023年4月新本館がオープン コンセプトは「THE LAKE RESORT」と「信州五感のショーケース」

2023年の春、全面改築をして「池の平ホテル」の新本館がグランドオープンした。新本館のコンセプトは「THE LAKE RESORT(ザ・レイクリゾート)」。空・山・湖の絶景が広がり、湖をより近くに感じられる。

「天然温泉 湖天の湯」は木曾檜と天然石を基調とした男女別の内湯、混浴エリアと3つの湯処を楽しめる。

「湖畔混浴 空」は目の前に白樺湖の景色が広がり温泉と湖が一体化して見える。レイクリゾートの開放感を堪能することでき、四季のうつろいを眺めつつ蓼科山の源泉に浸かる贅沢な時間を過ごせる。

もう一つのコンセプトは「信州五感のショーケース」。信州の風土を「しらかば仲見世」で五感で体感できる。

夕食ビュッフェは「RESORT FOOD HALL 湖畔の風」。13の個店やコーナーに料理が並び、信州の食材や郷土料理など地産の味も堪能できる。

上「展望サウナ -Ku-」(※湯あみ着着用の混浴エリア)
下「RESORT FOOD HALL 湖畔の風」

上 デラックスレイクビュールーム
下 白樺湖と新本館の外観

Pick up!

「しらかば仲見世」

信州の魅力が詰まった屋内型温泉街「しらかば仲見世」では蔵元直送の地酒の利き酒体験、五平餅、おやきが味わえる。信州の特産物や民芸品を揃えたショップや駄菓子、射的、ヨーヨーすくいなど昔懐かしい縁日もあり、旅の思い出に楽しいひとときを過ごせる。

DATA

しらかばリゾート いけのたいらホテル
https://www.shirakabaresort.jp/ikenotaira-hotel/
〒391-0392 長野県茅野市白樺湖
☎ 0266(68)2100 FAX 0267(55)6369
Wi-Fi 使用可 外国語対応:英 中 台 他

■**交通**《車》中央自動車道 諏訪ICより40分、上信越自動車道 佐久ICより60分、P1900台《電車》JR中央本線 茅野駅から車山・白樺湖方面行バスで50分、東白樺湖下車 ※送迎有(要予約) ■**チェックin** 15:00 **out** 10:00 ■**食事**《夕食》レストラン、宴会場《朝食》レストラン ■**部屋** 全245室 ■**風呂** 大浴場、露天風呂(混浴、水着着用)※加水、加温、循環 ■**泉質** カルシウム・ナトリウム一硫酸塩泉 ■**料金** 1万2250〜6万9450円(税込)

左 華鳳・露天風呂付デラックスルーム　右 華鳳・客室展望露天風呂

新潟×月岡温泉

白玉の湯 泉慶／華鳳

Senkei ／ Kahou

〈泉慶〉

〈華鳳〉

心も体も憩える場所
丘の上にたたずむ
静かな贅沢空間

「白玉の湯 泉慶」は、和と洋の美を融合させた近代的な宿。館内はロビーから廊下にいたるまで、数々の美術品に彩られている。お風呂は、日本海随一の広さを誇る大浴場と、自家源泉"白玉の湯"を引いた露天風呂で、四季折々の自然を堪能したい。

姉妹館「白玉の湯 華鳳」は、和の風情を生かした現代の城のような趣。6000坪の大庭園は、遊歩道が整備され四季のうつろいを満喫できる。

華鳳 別邸「越の里」は、古きよき旅館のおもてなしとラグジュアリーホテルの機能性を兼ね備えた宿だ。里山の彩りをテーマにした客室は、全20室のスイートルームで、1フロア4室だけのプライベート空間が広がっている。

泉慶・華鳳では近年客室の改装や個室料亭の増築、正面エントランス改装など、続々と新しい施設が誕生している。

DATA

しらたまのゆ　せんけい／かほう
《泉慶》https://www.senkei.com/
《華鳳》https://www.kahou.com/
《泉慶》〒959-2395　新潟県新発田市月岡温泉453
☎ 0254(32)1111　FAX 0254(32)3339
《華鳳》〒959-2395　新潟県新発田市月岡温泉134
☎ 0254(32)1515　FAX 0254(32)1511
Wi-Fi 使用可　外国語対応：英

■**交通**《車》磐越自動車道 安田ICから国道290号を新発田方面へ15km、P500台（無料）《電車》JR白新線 豊栄駅からシャトルバスで20分 ※大人300円（10:15・14:30・15:35・16:50・17:55）■**チェックイン** in 15:00 out 10:00 ■**食事**《夕食》越後料亭「旬熹楽」、和風食房「和味庵」または料亭個室（華鳳は部屋食または料亭個室《朝食》コンベンションホールまたは「旬熹楽」 ■**部屋**《泉慶》全110室《華鳳》全108室 ■**風呂**《泉慶》庭園大浴場「月鏡」「花鏡」（各露天風呂、サウナ付）《華鳳》男女別大浴場各1（露天風呂、ジャグジー、サウナ付）、貸切露天風呂2 ■**泉質** 含硫黄ーナトリウムー塩化物・硫酸塩泉 ※露天風呂は温泉、内湯大浴槽は白湯 ■**料金** 1万5000～6万円

上 越の里・客室展望露天　下左 越の里・料亭　下右 越の里・露天風呂付和洋室

▼上左 泉慶・デラックス和洋室　上右 泉慶・露天風呂付ツインルーム　下左 泉慶・客室露天風呂　下右 華鳳・プライベートスパ

Pick up!

歩いて楽しい温泉街

「白玉の湯 泉慶・華鳳」がある月岡温泉街は、新潟が誇る日本酒やワインなどが試飲できる店のほか、干物や発酵食品が試食できる店、煎餅の手焼き・絵付けが体験できる店などが毎年続々と誕生している。SNS映えするスポットもたくさんあるので、月岡温泉の街歩きを楽しみたい。

新潟×月岡温泉

ホテル清風苑

Hotel seifuen

美人の湯で風呂三昧の宿

今年で開湯111年を迎える名湯、月岡温泉を代表する老舗「ホテル清風苑」。かねてより客室空間の快適化に力を入れており、この5年間で大規模な施設改修を実施。2018年の客室棟「雅亭」のリニューアルを皮切りに、翌19年には最上階に専用ラウンジが付いたラグジュアリーフロア「GENJI香」をオープン。次いで客室棟「末広亭」にはユニバーサルデザインルームが誕生。23年には、「平安亭」に和モダンタイプのお部屋と3世代にも人気のデラックス和モダン(ツイン+ツイン+和室)タイプなどのお部屋がオープン。「平安亭」「雅亭」は完全禁煙化とし、快適さを具現化した部屋を次々とリニューアルさせている。

お風呂は、京風檜の大浴場や大樽露天風呂が揃う月岡湯香炉「美人の湯」と「源氏の湯」のほか、サウナ、大岩露天風呂付の庭園大浴場「姫の湯」と「殿の湯」で堪能できる。

Pick up!

お食事スタイルも多様!

朝夕ともにビュッフェスタイルが基本。夜は「和」の雰囲気が楽しめるお座敷ダイニングビュッフェ。朝は最上階からの眺めと「洋」の雰囲気が楽しめるスタイルとなっていて、朝と夜で趣異なるビュッフェが楽しめる。また、グループのお客様には宴会スタイルにも対応。個室やお部屋食もご相談可能となっている。「GENJI香」ご宿泊のお客様はお部屋食となっており、ガストロノミーアワード受賞のお料理が楽しめる。

左「GENJI香」和洋室　右上 京風庭園を望む(ひのき露天風呂)　右下 平安亭「DX和モダン4ベッド」

左「GENJI香」専用ラウンジ
右「ホテル清風苑」全景

DATA

ホテルせいふうえん

https://www.seifuen.com/
〒959-2397　新潟県新発田市月岡温泉278-2
☎ 0254(32)2000　FAX 0254(32)2945
Wi-Fi 使用可　外国語対応:英 韓

■**交通**《車》日東道 豊栄新潟東港ICから約16分、または磐越道 安田ICから約20分、P350台(無料)《電車》JR白新線 豊栄駅からタクシーで約15分　■**チェックin** 15:00 **out** 10:00　■**食事**《夕・朝》バイキング、部屋食(タイプによる)　■**部屋** 全83室　■**風呂** 月岡湯香炉「源氏の湯」・大升露天風呂付、「美人の湯」・大樽露天風呂付、庭園大浴場露天風呂付「殿の湯」「姫の湯(エステルーム有)」、貸切風呂「旅平」「宿六」「陽之心」　■**泉質** 含硫黄ーナトリウムー塩化物泉(「源氏の湯」「美人の湯」)※「殿の湯」「姫の湯」は白湯　■**料金** 2万～6万5000円

左 展望大浴場「ままらく」 右上 和洋室タイプの客室「しおざわ」 右下 ロビーラウンジから望む滝

新潟×越後湯沢温泉

水が織りなす越後の宿 双葉

Futaba

遊び心をくすぐる まわりきれないふたばの湯

越後湯沢温泉のなかでもひときわ高い丘に建つ「水が織り成す越後の宿 双葉」。最大の魅力は、4カ所の大浴場めぐりが楽しめる「ふたばの湯めぐり」だ。谷川連峰を望む「空の湯」の「ぱぱらく」、「ままらく」、趣向を凝らしたバラエティ豊かなお風呂が揃う「山の湯」、「里の湯」と温泉三昧を満喫できる。

客室は、日本有数の伝統織物の産地ならではの「織物をテーマ」とした和洋室のほか、バリアフリー対応の部屋もあり、より快適に過ごすことができる。

夕食は、内装や庭園の雰囲気にもこだわった個室ダイニングルームや大人数にも対応できる宴会場で上質な食事のひとときを満喫。このほか、やすらぎ棟「花水木」はフロア別に設けられた150㎡の広さを持つ3つの邸宅で、ゆっくり過ごせるプライベート空間を展開している。

Pick up!

世界最大級の「湯沢高原ロープウェイ」

越後湯沢の町中から世界最大級の大型ロープウェイが湯沢高原へ直行。ふもとから山頂への約7分間、春の新緑やさわやかな風の夏、秋の紅葉、冬の雪景色など四季に彩られる雄大な山々を大パノラマで満喫できる。

●通常夏期運行期間：4月下旬から11月上旬
●通常冬期運行期間：12月中旬から3月下旬

DATA

みずがおりなすえちごのやど　ふたば
https://hotel-futaba.com/
〒949-6101　新潟県南魚沼郡湯沢町大字湯沢419
☎ 025(784)3357　FAX 025(784)2652
Wi-Fi 使用可　外国語対応：英

■**交通**《車》関越自動車道 湯沢ICより国道17号を経由し約5分、P100台(無料)《電車》JR上越新幹線 越後湯沢駅より徒歩5分 ■**チェックin** 15:00 **out** 11:00 ■**食事**《夕食》料亭、食事会場《朝食》コンベンションホール(バイキング) ■**部屋** 全78室
■**風呂** 展望大浴場空の湯「ぱぱらく」、「ままらく」、やまんぼちゃ「山の湯」、「里の湯」、貸切風呂など
■**泉質** 単純温泉(低張性弱アルカリ性高温泉)
■**料金** 1万6500～5万5000円(税込)

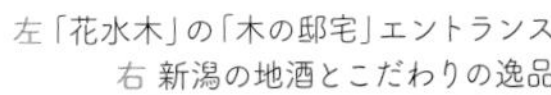
左「花水木」の「木の邸宅」エントランス
右 新潟の地酒とこだわりの逸品

新潟×越後湯沢温泉

湯沢グランドホテル

Yuzawa Grand Hotel

里山の豊かな自然に囲まれた湯の里、四季浪漫

越後湯沢駅から徒歩2分と交通至便な地にありながら、豊かな自然を感じさせる「湯沢グランドホテル」。「旅の良さは温泉の良さ、宿の良さは風呂の良さ」をモットーに、湯宿の旅情を満喫できる。

開放感あふれる「季里の湯」は、ぐるりとガラス窓を配した内風呂から上越の山並みを仰ぐ爽快さが自慢で、「離れの湯けむり座敷」をテーマとした設えも情緒満点だ。窓辺にお風呂を備えた半露天風呂付客室は、湯沢の町並みを眺めながらゆったりとしたひとときを過ごせる。さらに、話題の美容ブランドReFaシリーズの最新式シャワーヘッド、ドライヤー、カールアイロンが備え付けられているのでぜひ試してみたい。

このほか、お食事処「かすてりあ」もリニューアルオープン。以前よりもさらに充実した内容で、新潟の旬が詰まった山海の美味を味わえる。

Pick up!

「岩の湯」「若草の湯」リニューアルオープン

サブの大浴場「岩の湯」「若草の湯」が今年7月にリニューアルオープン！ 秋から冬の湯沢をイメージした設えで、落ち着いた雰囲気を醸し出す。新たに貸切風呂も2カ所オープンし、より一層旅行を盛り上げる事間違いなし！

左「季里の湯」 右上 半露天風呂付客室
右下 気泡がはじけてヘルシーな「泡風呂」

左 ホテル全景
右 食事処「かすてりあ」

DATA

ゆざわグランドホテル
https://yuzawagrandhotel.jp/
〒949-6101
新潟県南魚沼郡湯沢町大字湯沢2494
☎ 025(785)5050 FAX 025(784)4520
Wi-Fi 使用可 外国語対応：英

■**交通**《車》関越自動車道 湯沢ICから国道17号を湯沢方面へ2km、P100台(無料)《電車》JR上越新幹線越後湯沢駅から徒歩2分 ■**チェックin** 15:00 **out** 10:00 ■**食事**《夕・朝》バイキングまたはレストランにて和食膳(個人)、宴会場またはレストラン(団体) ■**部屋** 全87室 ■**風呂** 大浴場、露天風呂、サウナ ■**泉質** 単純温泉 ■**料金** 1万3000〜2万5000円

開放的な露天風呂

新潟×赤倉温泉

赤倉ホテル

Akakura Hotel

春は花、夏は涼みに
秋もみじ、
冬はスキーの越の赤倉

白亜のたたずまいをみせる「赤倉ホテル」は、先々代の社長が詠っていたように、四季を通じて旅する人の心を揺さぶり、高原の景色を堪能しながら心地良い風が味わえる宿だ。客室は心を込めたしつらいで、窓外には多くの神が宿るとされる秀峰・妙高連峰が望める。

山奥から引かれている湯量豊富な天然温泉は、肌を潤し身体の中から変化を感じさせてくれる効能豊かな湯。これらは「有縁の湯」、「楽々の湯」、「石割の湯」、「天空の湯」など多彩な湯船で堪能できる。

そして宿自慢の夕食では、すぐそばの日本海で獲れた鮮魚や地場の山菜、丹精込めて育てた農家の野菜など、厳選された素材の数々が食卓を彩る。このほか、各酒蔵自慢の地酒も豊富に揃い、言うことなしの贅沢なひとときに心もお腹も満たされるだろう。

上 大浴場「有縁の湯」 下「赤倉ホテル」全景

Pick up!

妙高山を望む「屋上展望台」

360度見渡せる「赤倉ホテル」の屋上展望台からは、国立公園の自然豊かな景色や頸城(くびき)平野、野尻湖なども眺めることができる。天気が良い日には佐渡まで見えることも。特に百名山の一つ、妙高山を間近で見たい方にはおすすめだ(冬季閉鎖)。

上 夕食には日本海の新鮮な魚介類と地元で採れた野菜が並ぶ 下 ゆったりとくつろげる「シャドルルーム」

DATA

あかくらホテル
http://www.akakura-hotel.com/
〒949-2111 新潟県妙高市赤倉486
☎ 0255(87)2001 FAX 0255(87)2033
Wi-Fi 使用可 外国語対応：英

■**交通**《車》上信越自動車道 妙高高原ICから国道18号を赤倉方面へ4km、P50台(無料)《電車》えちごトキめき鉄道またはしなの鉄道 妙高高原駅から市営バス 赤倉温泉行で20分 ※送迎有(冬季は除く)
■**チェックin** 15:00 **out** 10:00 ■**食事**《夕食》メインダイニングルーム《朝食》バイキング会場
■**部屋** 全111室 ■**風呂** 大浴場3、露天風呂、サウナ、ジャグジー ■**泉質** 硫酸塩・炭酸水素塩泉
■**料金** 1万7000～3万円

日本の橋

—甲信越編—

日本三奇橋の1つ
大月市の**猿橋**

山梨県大月市の猿橋は、桂川（相模川）の渓谷にかかる木製の橋で江戸時代には日本三奇橋の1つとされた。甲州街道に架かる重要な橋で、全長30.9mある。自動車の通行ができない人道橋。歌川広重の「甲陽猿橋之図」、葛飾北斎の『北斎漫画 七編 甲斐の猿橋』にも描かれてる。

橋は何度も架け替えられたようで、18世紀には現在残る猿橋の様式になった。建設当時は、谷が深く橋脚がたてられなかったため、両岸から張り出した四層のはね木によって橋を支える構造になった。秋には紅葉が美しく、1932年に国の名勝に指定された。

総檜造りのアーチ橋
奈良井宿、**木曽の大橋**

長野県塩尻市の道の駅「奈良井木曽の大橋」は、奈良井川に架かるアーチ橋。樹齢300年以上の檜で造られている。橋脚を持たない木造の橋としては、日本有数の規模だとされる。古来からある木造橋の復元や再現ではなく、国道19号の道の駅に併設された施設だ。この道の駅は、趣が少々変わっており、駐車場やトイレはあるが、売店などの商業施設がない。つまり、この木造橋が主役だ。

夜間には、ライトアップされた姿が幻想的で、木材を複雑に組み合わせた橋は川面に美しい影を落とす。この匠の技術は一見の価値がある。

信濃川に架かる
萬代橋

新潟市の萬代（ばんだい）橋は、国の重要文化財に指定されている。石造の橋のように見えるが、これは側面に花崗岩を貼り付けているもので、実際は鉄筋コンクリート製。初代の萬代橋は1886年に完成し、現在の橋は3代目で1929年に完成している。

計画当初は、花崗岩の化粧板を貼る予定ではなかったが、工事費の圧縮ができたことから、その費用が捻出できた。見かけが重厚になっただけでなく、信濃川の河口に近いこともあり、日本海からの潮風による劣化を防止することができた。全長306.9mの4車線は、100年近い歳月を経た今でも、新潟市内の基幹道路の一部として活躍し続けている。

（画像 https://ja.wikipedia.org/wiki/萬代橋　Bandaibashi-Bridge 20130929.JPG より）

伊豆&東海

稲取 銀水荘［静岡・稲取温泉］

堂ヶ島 ニュー銀水［静岡・堂ヶ島温泉］

熱川プリンスホテル［静岡・伊豆熱川温泉］

里山の別邸 下田セントラルホテル［静岡・伊豆の下田相玉温泉］

飲泉・自家源泉かけ流しの秘湯 観音温泉［静岡・観音温泉］

ABBA RESORTS IZU ー 坐漁荘［静岡・浮山温泉郷］

水明館［岐阜・下呂温泉］

ホテルくさかべ アルメリア［岐阜・下呂温泉］

ホテル花水木［三重・長島温泉］

しんわ千季 戸田家［三重・鳥羽温泉郷］

自家源泉の宿 サン浦島 悠季の里［三重・鳥羽本浦温泉］

風待ちの湯 福寿荘［三重・磯部わたかの温泉］

三重・しんわ千季 戸田家（P.80）

静岡×稲取温泉

稲取 銀水荘

Ginsuiso

展望ラウンジ「濤の音」

旅行から帰った翌朝、「今日」という1日へ元気に向かう人たちを増やしていく

伊豆半島の東海岸に建つ「稲取 銀水荘」は、今年法人化60周年を迎えた。変わらぬ「おもてなしの心」をより深化させ開始したラウンジサービス「濤(なみ)のむこう」が好評だ。ウェルカムドリンクをさらに深化させ、チェックインから夕食前の「ウェルカムタイム」、空と海が織りなす夕日のドラマを眺める「マジックアワー」、夕食後の「デザートタイム」、夜の語らいのひとときは「ナイトタイム」とシーンに合わせた贅沢な時間を提供。また、「ステイタイム」にはおにぎりやサラダなどの軽食も楽しめる。

客室は、自家源泉の露天風呂が備わる17室のスイートルームや、身体に優しく過ごしやすさを追求した14室のアップグレード和室など、旅の目的に合わせてさまざまな客室タイプを用意。シャワーブースや新しい洗面を備え、現代の快適志向に応えている。

DATA

いなとり　ぎんすいそう
https://www.inatori-ginsuiso.jp/
〒413-0411　静岡県賀茂郡東伊豆町稲取1624-1
☎ 0557(95)2211　FAX 0557(95)2521
Wi-Fi 使用可　外国語対応：中 台

■**交通**《車》新東名高速道 長泉沼津ICから東駿河湾環状道路、国道414号線を経由し約90分、P100台(無料)《電車》伊豆急行線 伊豆稲取駅から送迎バスで5分　■**チェックin** 14:00 **out** 10:00　■**食事**《夕食》ダイニング、部屋食、個室会場《朝食》ダイニング　■**部屋** 全99室(和室77室、洋室5室、露天風呂付客室17室)　■**風呂** 大浴場、露天風呂、サウナ　■**泉質** ナトリウム・カルシウム一塩化物泉　■**料金** 2万～18万円

上左 食後のデザートはビュッフェ形式のラウンジで 上右 旅人をもてなす展望ラウンジ「濤の音」 中左 夕焼けの空のようなキレイなカクテルを 中右 滞在のお客様にちょっとした軽食も 下「稲取 銀水荘」外観

＼ *Pick up!* ／

過ごしやすい大浴場・露天風呂

自家源泉から毎分200ℓの豊富な湯量を誇る大浴場。露天風呂には、寝湯があり開放的で風情のある雰囲気はそのままに、より安全に温泉入浴を楽しめる。

左17室それぞれが趣の異なるスイートは全室露天風呂付
右 潮風と波音が心地良い露天風呂

静岡×堂ヶ島温泉

堂ヶ島 ニュー銀水

New Ginsui

時代の変化に合わせた 選べる過ごし方を提案

今年法人化60周年を迎える「堂ヶ島 ニュー銀水」は、西伊豆きっての景勝地に建ち、全室オーシャンフロントの客室をはじめ、ダイニングなど館内のさまざま場所から絶景が楽しめるリゾートホテルだ。

大浴場は、海に浮かんでいるかのような心地で手足が伸ばせる極楽気分の湯。露天風呂はさらに爽快で、海に向かって開ける眺望と潮風が極上の開放感をもたらしてくれる。

7階玄関フロアには、生ビールやソフトドリンクなどが無料で楽しめる展望ラウンジ「オンディーナ」、名産品やオリジナル商品が並ぶ売店「マーレ・マーレ」など館内施設が充実。さらに、好みで選べる「アメニティステーション」が今年よりオープン。隣には地域のおすすめ情報を発信する「観光案内ステーション」、旅の思い出をつづる「想場（おもいば）」を新設し、さまざまな過ごし方を提供している。

上 ダイニング「銀華」 下 施設が充実した7階玄関フロア

Pick up!

「日本の夕陽百選」にも選ばれた絶景

西伊豆の海岸線を一望できる展望ラウンジでは10月中旬から3月上旬にかけて、夕陽が楽しめる。空が茜色に染まりはじめると太陽と海が織りなすサンセットロードが現れ、水平線に溶けていく光景は胸をふるわせるはずだ。

DATA

どうがしま　ニューぎんすい

https://www.dougashima-newginsui.jp/
〒410-3514　静岡県賀茂郡西伊豆町仁科2977-1
☎ 0558（52）2211　FAX 0558（52）1210
Wi-Fi 使用可　外国語対応：英 中 台

■**交通**《車》新東名高速道 長泉沼津ICから東駿河湾環状道路、国道136号線を経由し約80分、P150台（無料）《電車》伊豆急行線 下田駅から東海バスで約60分、「堂ヶ島」バス停下車より送迎バス（要連絡） ■**チェックin** 14:00 **out** 10:00 ■**食事**《夕・朝食》ダイニング、会食場 ■**部屋** 全123室（和室117室、和洋室3室、洋室2室、特別室1室） ■**風呂** 大浴場、露天風呂、サウナ ■**泉質** カルシウム・ナトリウム－硫酸塩泉 ■**料金** 1万5000～12万円

上 大浴場　中 展望ラウンジ　下「堂ヶ島 ニュー銀水」全景

左 屋上天空露天風呂から満月海面に映るムーンロード　右上 最上階プレミアムエリア「Qoomo」　右下 満月と新月の前後3日間にオープンする「海と星空のBAR」

静岡×伊豆熱川温泉

熱川プリンスホテル

Atagawa Prince Hotel

高台から海と温泉街を一望 開放感あふれる温泉リゾート

熱川温泉街の高台に位置する「熱川プリンスホテル」は、地下500mから湧き出る2本の自家源泉を有する全客室オーシャンビューの湯宿だ。自慢は、空と海の一体感が味わえる屋上の天空露天風呂「薫風」。良く晴れた日には、水平線に浮かぶ伊豆諸島の島々を眺めながら湯浴みが楽しめる。また、みかん風呂など12の個性豊かな浴槽も揃う。

料理は、金目鯛や熱川高原ポークなど、地元の食材をふんだんに使った旬の和会席料理。伊豆で水揚げされた金目鯛を丸ごと煮付けた当館名物料理「金目鯛の漁師煮」など、通年楽しめる特撰素材を中心に、季節変わりの献立が用意されている。

客室最上階のプレミアムエリア「Qoomo」は、「雲」をコンセプトにした贅沢な空間。ふわふわと流れゆく雲のように、時間を忘れて特別な休日を過ごしたい。

Pick up!

ダイニング「季の杜 TOKI no MORI」

木のぬくもりあふれるダイニング「季の杜」。和モダンなインテリア、自然をモチーフにしたレリーフ、緑豊かな中庭が非日常へといざなう。プライベート感を重視した個室風テーブル席が15ブース用意され、広々とした空間で旬の恵みと一期一会の味覚を堪能できる。

DATA

あたがわプリンスホテル
https://www.atagawa-prince.co.jp/
〒413-0302
静岡県賀茂郡東伊豆町熱川温泉1248-3
☎ 0557(23)1234　FAX 0557(23)4696
Wi-Fi 使用可　外国語対応：英 中 台

■**交通**《車》東名高速道 厚木ICから小田原厚木道路、国道135号を経由し約120分、P50台(無料)《電車》伊豆急行線 伊豆熱川駅より徒歩10分 送迎バス有(要連絡)　■**チェックin** 15:00 **out** 10:00　■**食事**《朝・夕》ダイニング、個室(個室料亭、小宴会場)　■**部屋** 全52室(和室36室、和洋室4室、洋室3室、露天風呂付客室7室、特別室2室)　■**風呂** 大浴場、露天風呂、貸切風呂、サウナ　■**泉質** ナトリウム―塩化物・硫酸塩泉　■**料金** 2万3200～4万9500円

左 季節の恵みと伊豆の幸を感じる「魅+(みたす)」をコンセプトにした和会席料理 黄金コース
右 ダイニング「季の杜 TOKI no MORI」

静岡×伊豆の下田相玉温泉

里山の別邸 下田セントラルホテル

〈PC〉 〈SNS〉

Shimoda Central Hotel

庭園付露天風呂客室(一例)

清流が流れる 豊かな自然に囲まれた 里山にたたずむ自家源泉の宿

緑豊かな天城連山と満天に煌めく星、そして下田市内を流れる清流、稲生沢川のせせらぎ。そんな自然豊かな里山にたたずむのが「里山の別邸 下田セントラルホテル」だ。

湯量豊富で泉質が良いと評判の自家源泉は、pH9.4のアルカリ性単純温泉。里山風景が眺められる大浴場、露天風呂は開放感のあるスペース。温泉は静岡県認可の飲用泉にもなっている。

客室は、和室を基本に約100㎡の広さを誇る特別室、2タイプの露天風呂付客室が13室、そのほか和洋スイート、和モダン和室と滞在スタイルによってさまざまなタイプから選択できる。

提供される料理は、新鮮な海の幸と里の味覚が吟味された料理長自慢の和会席膳。四季折々の美味しい料理で、ゆったりとした時間を過ごしたい。

DATA

さとやまのべってい しもだセントラルホテル
https://www.shimoda-central-hotel.co.jp/
〒413-0711 静岡県下田市相玉133-1
☎ 0558(28)1126 FAX 0120(211)266
Wi-Fi 使用可

■**交通**《車》東名高速道 沼津ICから伊豆縦貫道、河津下田道路、414号を経由し下田方面へ80km、P50台(無料)《電車》伊豆急行線 伊豆急下田駅から送迎バスで20分(要予約) ■**チェックin** 15:00 **out** 11:00 ■**食事**《夕・朝食》部屋食(一部客室のみ)、レストラン ■**部屋** 全39室(庭園付露天風呂客室・特別室1室、露天風呂付客室13室、和洋スイート8室、和室15室、洋室2室、全室禁煙) ■**風呂** せせらぎの湯処・大浴場、露天風呂 ■**泉質** アルカリ性単純温泉 ■**料金** 3万3000～7万6000円

上左 季節ごとに素材、器、調理法が変わる和会席膳（一例）
上右 伊豆の下田「相玉温泉」があふれる大浴場「せせらぎの湯処」 中左 露天風呂付客室（一例） 中右 ラウンジ 下 花と緑とさくらの小径

＼ *Pick up!* ／

美しい里山づくりプロジェクト

山間のホテルの立地を生かした取り組みを開始。隣の田畑に農園を造り、採れたて野菜を宿泊者に提供している。敷地内グラウンドの桜の回廊や、旅するチョウ「アサギマダラ」が飛来する「フジバカマ園」の拡大、星空観察、野鳥観察など、滞在をより楽しめるよう整備を進めている。

左 各客室ごとにテーマを持つ庭園付露天風呂客室（一例）
右 里山風景の落ち着いたたたずまい

静岡×観音温泉

飲泉・自家源泉かけ流しの秘湯
観音温泉

Kannon onsen

天然の恵みのおもてなし、地産地消の癒しの宿

国道414号から天城連山を越え、人里離れた林道を進むと豊かな山間に抱かれた「観音温泉」が姿を現す。ここは、飲泉・自家源泉掛け流し、極上のアルカリ源泉がすべてのおもてなしに息づく温泉宿だ。

温泉地熱とソーラーシステムにより自家農園野菜を栽培。アルカリ源泉で漬け込んだ梅干や下田港直送の鮮魚と共に、地場の「天然の恵み」に徹底的にこだわって宿泊客に提供している。

宿泊施設は、源泉掛け流しの露天風呂付「ピグマリオン」や、檜風呂付客室「本館」など4カ所。2022年5月には、「産土亭」リニューアル客室がオープン。檜を惜しみなく使用し、豊かな香りに包まれたくつろぎの空間に生まれ変わった。小型犬のペットと宿泊できるほか、隣の客室とコネクティングルームとしても利用することができる。

DATA

いんせん・じかげんせんかけながしのひとう
かんのんおんせん
https://www.kannon-onsen.com/
〒413-0712　静岡県下田市横川1092-1
☎ 0558(28)1234　FAX 0558(28)1235
Wi-Fi 使用可　外国語対応：英

■**交通**《車》新東名高速道 長泉沼津ICから伊豆縦貫道、修善寺道路、国道414号を経由し90分、P有(無料)《電車》伊豆急行 下田駅から送迎バスで25分(1日5便、要予約)　■**チェックin** 15:00 **out** 10:00　■**食事**《夕・朝食》部屋食(ピグマリオンのみ別料金にて対応可)、食事処　■**部屋** 全55室(ピグマリオン18室、本館16室、正運館6室、産土亭15室)　■**風呂** 大浴場、大檜風呂、露天風呂、サウナ、アメリカンスパ　■**泉質** アルカリ性単純泉　■**料金**《ピグマリオン》3万4000円～(税込)《本館》2万1000円～(税別)《正運館》1万8000円～(税別)《産土亭》1万8000円～(税別)※2025年4月料金改定予定

日帰り温泉観音プリンシプル「大総檜風呂」

上左 2022年5月にリニューアルした「産土亭」客室　上右 観音温泉ピグマリオン「竹の間」　下 源泉掛け流し檜風呂付本館和室

Pick up!

初夏の訪れを感じるホタル観賞

幻想的な光で初夏の訪れを知らせてくれるホタル。豊かな緑と澄んだ空気に囲まれた「観音温泉」周辺では、ホタルが夕闇の中を舞う様子を見ることができる。家族や友人とホタルの穏やかな光を眺めたり、生き物の鳴き声に耳を澄ませながら初夏の一夜をゆったりと過ごしたい。

上左「ガラティア観音乃湯」外観　上右 飲泉・自家源泉掛け流しガラティア観音乃湯「星空の満天露天風呂」　下 2022年5月にリニューアルした「産土亭」客室 総檜風呂足湯

プール・露天風呂付ヴィラ客室

静岡×浮山温泉郷

AБBA RESORTS IZU—坐漁荘

Zagyosoh

日本と親しむ　情緒に憩う 四季を感じる 静かなくつろぎの宿

伊豆高原の豊かな林に囲まれている「AБBA RESORTS IZU—坐漁荘」は、屋号の「坐して魚を釣るごとく」の通り落ち着きのある宿だ。その歴史は55年を超え、今もなお一期一会のおもてなしと純和風のくつろぎを受け継いでいる。

約6000坪という広大な敷地内には本館、ヴィラを配し、本館からは、緑あふれる庭園を望むことができる。このほか、和の様式美が香る離れヴィラでは、プライベートな空間で心身ともに癒されたい。

入浴は、庭園を望みながら湯浴みができる大浴場や庭園露天風呂で。どちらも豊かな自然に囲まれており、日ごろの疲れを忘れさせてくれる。

夕食は、和会席やコンテンポラリーフレンチ、鉄板焼きなど伊豆の新鮮な魚介類や地元の食材にこだわった料理を堪能したい。

DATA

あばりぞーつ　いず　ざぎょそう
https://zagyosoh.com/
〒413-0232　静岡県伊東市八幡野1741-42
☎ 0557(53)1170　FAX 0557(53)1171
Wi-Fi 使用可　外国語対応：英 中 台

■交通《車》東名高速道厚木ICから小田原厚木道路を経由し、国道135号を下田方面へ60km、P30台(無料)《電車》伊豆急行線伊豆高原駅から送迎車で5分 ■チェックin 15:00 out 11:00 ■食事《夕食》レストランにて和会席、フレンチ、鉄板焼きのいずれか《朝食》和朝食、洋朝食のいずれか ■部屋 全35室(和室19室、ヴィラ16室) ■風呂 大浴場2(サウナ付)、露天風呂4 ■泉質 弱アルカリ単純温泉 ■料金 5万9714円〜

上 東館 和室・露天風呂付客室　下右 プール＆サウナ・ジャグジー・露天風呂付ヴィラ客室　下左 露天風呂付ヴィラ客室

上左 和会席イメージ　上中 フレンチイメージ　上右 坐漁荘入口　下左 静岡茶とのティーペアリングと伊豆フレンチ　下右 レストランやまもも

岐阜×下呂温泉

水明館

Suimeikan

心満たされるおもてなし、優雅さ香る快適リゾート空間

飛騨川沿いに建つ宿「水明館」は「臨川閣」、「飛泉閣」、「山水閣」と数寄屋造りの離れ「青嵐荘」の4つから成り、客室は和室、和洋室、特別室、温泉露天風呂付客室など多彩に揃う。

お風呂は、臨川閣3階に備える低温・高温浴槽や檜にこだわった「下留の湯」、飛泉閣9階にある展望大浴場、山水閣1階の野趣あふれる野天風呂などバラエティ豊か。さらに青嵐荘、臨川閣、山水閣には部屋風呂にも温泉が注がれている。

食事は、地元の旬素材を職人が一品一品真心込めて調理。客室での日本料理やダイニングでの和洋折衷会席、和食処での会席料理、レストランでのフレンチ、中国料理など、好みに合わせて選びたい。

さらに館内には、能舞台や茶室、画廊、温泉プールなどもあり、思い思いの滞在が楽しめる。

DATA

すいめいかん
https://www.suimeikan.co.jp/
〒509-2206　岐阜県下呂市幸田1268
☎ 0576(25)2800　FAX 0576(25)4520
Wi-Fi 使用可
外国語対応：英 韓 中 台 スペイン語

■**交通**《車》中央自動車道 中津川ICから国道257号を高山方面へ52km、名古屋から国道41号で100km、P200台（無料）《電車》JR高山本線 下呂駅から徒歩3分　■**チェックin** 14:00 **out** 11:00　■**食事**《夕食》プランにより異なる《朝食》バイキング会場
■**部屋** 全264室（臨川閣74室、飛泉閣87室、山水閣98室、青嵐荘5室）　■**風呂** 臨川閣「下留の湯」、飛泉閣「展望大浴場」、山水閣「野天風呂」、貸切風呂2、室内温泉プール　■**泉質** アルカリ性単純泉
■**料金** 1万9800〜11万円（税込）

臨川閣「下留の湯」

上左 日本料理（イメージ） 上右「山水閣」特別室 下左「臨川閣」最上階特別室 下右 離れ青嵐荘「夕顔の間」

＼ *Pick up!* ／

館内ツアー

水明館の山水閣、飛泉閣、臨川閣に分かれた館内を彩る有名画家の絵画や壁画など、匠の技が生かされた芸術作品や施設をまわる「館内ツアー」。毎日夕方5時から約40分間、詳しく解説しながら案内する人気のツアーとなっている。

上左 ロビーラウンジ「エビアン」 上右 鹿肉のジビエディナーコース（イメージ） 下 野天風呂「龍神の湯」

岐阜×下呂温泉

ホテルくさかべ アルメリア

Armeria

リボン宿ネット

下呂の湯でやすらぎの時間を過ごしたい

ホテルの快適なプライベート空間と、旅館の心なごむおもてなしで、極上のリゾートタイムを提供する「ホテルくさかべ アルメリア」。南・北ウイングの本館と新館アルメリアタワーから成り、客室は和室、和洋室に加えて、眺望が素晴らしいジェットバスや個室露天風呂を備えたスイートルームも揃う。

温泉は、天下の三名泉に数えられる下呂の湯。南ウイング2階のヘルシースパ「クア・カーディナル湯の森」や、北ウイング最上階の展望露天風呂「花見月の湯」で、思う存分満喫したい。

楽しみな夕食は、会席専用レストラン「ベルビュー」、本格ジャズの流れる「レンガ横丁」、ビュッフェレストラン「バーガンディ」、夏季限定の屋外レストラン「オリエンタルビアガーデン」など多彩に揃い、好みに合わせて選ぶことができる。

Pick up!

アメージングタイランドショー

「ホテルくさかべ アルメリア」がお届けするエンターテインメントショー（ニューハーフショー）。各公演で内容が大きく異なるのが特徴で、子供から年配の方まで存分に楽しめる本格的なダンス&笑いのショーとなっている。
（期間限定公演、要事前予約）

左 展望露天風呂「花見月の湯」 右上 レストラン「バーガンディ」 右下「アジアン和洋室」

左「ホテルくさかべ アルメリア」全景
右「アジアンスタイリッシュスイート」のジェットバス

DATA

ホテルくさかべ アルメリア
https://www.armeria.co.jp/
〒509-2206 岐阜県下呂市幸田1811
☎ 0576（24）2020 FAX 0576（24）2870
Wi-Fi 使用可 外国語対応：英 韓 中 台

■**交通**《車》中央自動車道 中津川ICから国道257号を下呂方面へ50km、P150台（無料）《電車》JR高山本線 下呂駅から送迎バスで3分 ■**チェックin** 15:00 **out** 10:00 ■**食事** レストラン「ベルビュー」、レストラン「バーガンディ」、お食事処「レンガ横丁」 ■**部屋** 全125室（和室95室、和洋室14室、特別室14室、洋室2室） ■**風呂** 大浴場、露天風呂、サウナ ■**泉質** アルカリ性単純泉 ■**料金**《一般客室》1万5000円～《特別室》2万5000円～

大浴場「瀧の湯」

三重×長島温泉

ホテル花水木

Hotel Hanamizuki

やわらかな光やさしい風
自然と調和する和の心

三重県水郷自然公園に指定されている中京地区屈指の名湯、長島温泉。海岸近くのナガシマリゾートに建ち、本館、別館合わせて178室の規模を誇る。国土交通省観光庁創設の「観光施設における心のバリアフリー認定制度」に認定され、高齢の方や障害のある方も安全で快適に過ごせる。

川のように流れるほど湯量豊富な源泉を生かした温泉は、和風庭園に滝を配した大浴場や露天風呂、岩風呂、ジャグジーなど豊富に揃う。

今年2月には、ダイニング「大河」が誕生。臨場感あふれるライブキッチンからは出来立ての料理を提供。朝食は季節の食材を使った多彩なメニューをビュッフェ形式で、夕食は料理長自慢の和食会席を、上質なプライベート空間の個室や伊勢湾の眺望が楽しめる窓側席で堪能したい。

ダイニング「大河」ライブキッチンと個室会場

上 本館 和室からの遊園地の眺望
下「ホテル花水木」外観

Pick up!

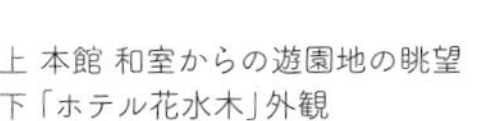

家族3世帯が楽しめる

「ホテル花水木」に宿泊すると、滞在期間中は遊園地「ナガシマスパーランド」や大露天風呂「長島温泉 湯あみの島」、花と緑と食のテーマパーク「なばなの里」に無料で入場できるほか、なばなの里内にある国内最大級の大温室「ベゴニアガーデン」にも1回入館できる。アウトレットモール「ジャズドリーム 長島」なども隣接しており滞在型リゾートを心ゆくまで満喫できる。

DATA

ホテルはなみずき
https://www.nagashima-onsen.co.jp/hanamizuki/
〒511-1192 三重県桑名市長島町浦安333
☎ 0594(45)1111(代表) FAX 0594(45)1188
Wi-Fi 使用可 外国語対応：英

■**交通**《車》伊勢湾岸自動車道 湾岸長島ICよりすぐ、または東名阪自動車道 長島ICより15分《電車》JR関西本線、近鉄名古屋線 桑名駅より三重交通バスで20分 ■**チェックin** 14:00 **out** 11:00 ■**食事**《本館》ダイニング他(夕食)、ダイニング(朝食)《別館》レストラン(夕·朝食) ■**部屋** 全178室 ■**風呂**《庭園風呂》大浴場、サウナ《露天風呂》岩風呂、ジャグジー、水風呂 ■**泉質** アルカリ性単純温泉 ■**料金** 2万4000円〜

三重×鳥羽温泉郷

しんわ千季 戸田家

Todaya

左 戸田家温泉村 湯亭「花の賀」 右上 しんわダイニング「天・地・海」 右下 回転展望レストラン「東風と海」

約2年間の改修工事を終え、2024年7月13日待望のリニューアルオープン

眼前に鳥羽湾の眺望を誇り、鳥羽駅から徒歩3分と交通至便な立地に建つ大型和風の老舗宿「戸田家」。前身は1830（天保元）年創業の割烹料亭で、その歴史を垣間見せる料理は見事。日本はおろか、今や世界でも貴重な存在となった回転展望レストラン「東風と海」での進化系新懐石料理など夕食は3つのバリエーションから選択可能。

2022年12月には、天空露天風呂付和洋スイートなど「嬉春亭」上層階を改装し、全17室が「わたつみの章」として誕生。海面40mの高さから鳥羽湾を一望できる贅沢なお部屋は、優雅な大人旅や記念日旅行にぴったりだ。

お風呂は、24時間入浴可能な風流野天風呂「湯亭」、女湯の「花の賀」、男湯の「緑の賀」。5つの無料貸切風呂、館内には大浴場、サウナ、家族風呂、岩盤浴など多彩に揃い、リラクゼーション施設も充実している。

Pick up!

「南館」と「嬉春亭」が続々リニューアル

2023年には「南館」7～8階の「きらら和洋室」と「南館」大浴場がリニューアル。さらに2024年7月、「嬉春亭」大浴場と「嬉春亭」6～10階の和室「海人の章」（写真）がリニューアルオープン。大きな窓からは鳥羽湾を行きかう船を眺めながら、心地よい時間を過ごすことができる。

左 嬉春亭「わたつみの章」の客室風呂
右 鳥羽湾を一望する絶好のロケーションに建つ

DATA

しんわせんき　とだや
https://www.todaya.co.jp/
〒517-0011　三重県鳥羽市鳥羽1-24-26
☎ 0599（25）2500　FAX 0599（26）2552
Wi-Fi 使用可　外国語対応：英 韓 中 台 他（タイ語）

■**交通**《車》伊勢自動車道 伊勢ICから伊勢二見鳥羽ラインを経由し国道42号を12km、P150台（無料）《電車》近鉄鳥羽線 鳥羽駅から徒歩3分 ■**チェックin** 15:00 **out** 10:00 ■**食事**《夕食》①しんわダイニング「天・地・海」でのバイキング ②「東風と海」での新懐石料理 ③部屋食（嬉春亭のみ）、宴会場（団体）《朝食》レストランでのバイキング（個人）、宴会場（団体） ■**部屋** 全168室（南館114室、嬉春亭54室） ■**風呂** 風流野天風呂棟「湯亭」露天2、大浴場4、無料貸切風呂5、家族風呂2 ■**泉質** アルカリ性単純泉 ■**料金** 1万7600～16万5000円（貴賓室）

左「外の宮」温泉露天風呂　右上 別邸「水の星」温泉露天風呂　右下 令和元年オープン客室

三重×鳥羽本浦温泉

自家源泉の宿 サン浦島 悠季の里

Yuukinosato

湯にふれ緑を愛でる風趣豊かなひととき

生浦湾が一望できる和風旅館、自家源泉の宿「サン浦島 悠季の里」。今年3月にはレストランダイニングが、7月にはロビー＆ライブラリーがリニューアルオープンした。湯元ならではの2つの源泉を楽しめる大浴場には、多彩な湯船が揃いゆったりと流れる時を感じることができる。

全室露天風呂付客室 別邸「水の星」では、雄大な青い海を望むプライベートダイニングで贅沢な食事を堪能。バリアフリータイプの温泉露天風呂付特別室、令和元年にオープンした本館6階から最上階9階のオーシャンビュールーム8タイプも揃い、海のやすらかな情景に癒されるだろう。

そして、伊勢志摩の魅力はなんといっても新鮮な魚介類。伊勢エビ、アワビ、カキなど、季節に合わせた贅沢な食材がずらりと並ぶ。旬を彩るこれらの会席料理は、ここでしか味わえない至高の逸品だ。

＼ Pick up! ／

おすすめのお土産「悠季カレーとみかづき」

おみやげ処「野花亭」では、伊勢志摩・鳥羽、三重県下の名産品やオリジナル商品を販売している。なかでもおすすめが、「悠季の里 まかないカレー」と、お茶菓子「御潜(みかづき)」。どちらもオリジナルの商品で、ここでしか買えない人気商品だ。

●まかないカレー「ふつう口」450円(税込)
「辛口」760円(税込)
●オリジナルお茶菓子「みかづき」810円(税込)

DATA

じかげんせんのやど　サンうらしま ゆうきのさと
https://www.sun-urashima.co.jp/
〒517-0025　三重県鳥羽市本浦温泉
☎ 0599(32)6111　FAX 0599(32)5233
Wi-Fi 使用可　外国語対応：英

■**交通**《車》伊勢自動車道 伊勢ICから伊勢二見鳥羽ライン、パールロードを経由し25km、P50台(無料)《電車》近鉄鳥羽線 鳥羽駅から送迎バスで20分(要予約)　■**チェックin** 15:00 **out** 11:00　■**食事**《夕食》部屋食または個室ダイニング(個人)、宴会場(団体)　■**部屋** 全32室［悠季の里本館23室(温泉露天風呂付8室、和室ダイニング付ベッド付6室、和室ベッド付8室、洋室温泉付1室)、別邸水の星 9室(全室温泉露天風呂付 部屋ダイニング付4室、個室レストラン食事5室)］　■**風呂** 男女別大浴場、男女別露天風呂(うたせ露天、岩露天、大涌あつ湯、丸型ぬる湯)、貸切風呂3　■**泉質** アルカリ性単純泉　■**料金** 2万1000〜6万5000円

左 今年7月にリニューアルしたロビー＆ライブラリー(イメージ)　右 今年3月にリニューアルしたレストランダイニング

庭園露天風呂「風待ちの港」

三重×磯部わたかの温泉

風待ちの湯 福寿荘

Fukujyuso

おだやかな的矢湾の傍で くつろぎに満たされる宿

伊勢志摩半島の東、的矢湾に浮かぶ「わたかの島」に建つ「風待ちの湯 福寿荘」は、客室やロビーラウンジなど、館内の各所から海を一望できる宿だ。

お風呂は、的矢湾を眺望を満喫できる展望大浴場、貸切露天風呂「海」・「花」など多彩に揃う。このほか、クアハウス機能も備える庭園露天風呂「風待ちの港」には、内湯に加えてサウナや打たせ湯、歩行湯など充実した施設が整っており、心ゆくまでリラックスできる。

食事は、旬の鮮魚を豪快に盛り込んだ贅沢な料理。名産の伊勢エビをはじめ、秋冬は的矢カキ、あのりフグ、春夏はアワビなど季節を感じさせる海の幸を堪能したい。

姉妹館「はいふう」は、アジアンリゾート風の全室露天風呂付客室。学生やファミリー層には、海水浴場前の「海辺のホテル はな」も好評だ。

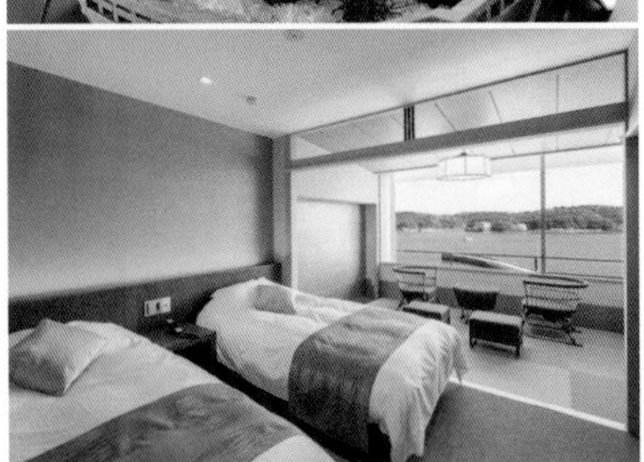

上 夏の三大味覚コース（一例）
下 新客室フロア「みさき亭」の客室

上 貸切露天風呂「海」
下 的矢湾に浮かぶ「わたかの島」

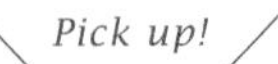

Pick up!

南伊勢産「鯛かぶと煮」

伊勢志摩の豊かな海で大切に育てられたタイをていねいに下処理し、大鍋にきれいに並べ、ゆっくり味をなじませるように料理した「鯛かぶと煮」。しっかりした味わいだが、やさしくタイの旨味も堪能できる当館で好評の逸品だ。

DATA

かざまちのゆ　ふくじゅそう
https://www.fukujyuso.co.jp/
〒517-0205　三重県志摩市磯部町渡鹿野517
☎ 0599(57)2910　FAX 0599(57)2211
Wi-Fi 使用可　外国語対応：英 中

■**交通**《車》伊勢自動車道 伊勢西ICから賢島方面へ約60分、渡船で3分、P100台（無料）《電車》近鉄賢島線 鵜方駅から送迎バスで15分（予約制）、渡船で3分 ■**チェックin** 15:00 **out** 10:00 ■**食事**《夕・朝食》レストランまたは宴会場（個人）、宴会場（団体）■**部屋** 全63室（和室57室、洋室6室） ■**風呂** 庭園露天風呂、内湯、打たせ湯、歩行湯、泡風呂、桶風呂、足湯など12カ所、展望大浴場2 ■**泉質** ナトリウム・カルシウム塩化物泉 ■**料金** 1万6500〜3万3000円

北陸&近畿

ゆのくに天祥［石川・山代温泉］

たちばな四季亭［石川・山代温泉］

ホテル森の風立山［富山・あわすの温泉］

まつや千千［福井・あわら温泉］

ホテル 金波楼［兵庫・日和山温泉］

佳泉郷 井づつや［兵庫・湯村温泉］

淡路インターナショナルホテル ザ・サンプラザ［兵庫・洲本温泉］

石川・たちばな四季亭（P.86）

石川×山代温泉

ゆのくに天祥

Yunokuni Tensyo

新たに自家源泉が
開湯しました

「悠幻の湯殿」露天風呂

上左 プレミアムスイート客室（3タイプ） 上右「滝見の湯屋」露天風呂
下左「九谷の湯処」露天五右衛門風呂 下右「滝見の湯屋」内湯

左「然 Zen」スイート客室（リビング）　中「コンベンションホール天祥」　右「ゆのくに天祥」全景

2つの源泉を贅沢に楽しむ「一泊三湯十八ゆめぐり」

2023年に60周年を迎えた「ゆのくに天祥」は、開湯した「自家源泉」と宿の歴史を育んできた「引き湯源泉」がもたらす温泉三昧の愉しみが魅力の宿だ。

大浴場は「悠幻の湯殿」、「滝見の湯屋」、「九谷の湯処」の3カ所。桶風呂や石風呂、五右衛門風呂などがあり、湯船には天然温泉があふれている。男女時間帯入替制の「一泊三湯十八ゆめぐり」は、その贅沢な充実度が好評を博している。

建物は「天祥の館」、「白雲の館」から成り、「天祥の館」特別フロアの「然Zen」はすべてスイートタイプの客室となっている。2022年には、「白雲の館」に露天風呂付客室「温泉露天プレミアム」（3タイプ/24室）がリニューアルオープンした。

料理は、山海の幸を生かした加賀の伝統料理や創作料理。旬を感じさせる料理は種類豊富で、料理長考案の「縄文蕎麦」や「天祥棒茶うどん」もおすすめだ。コンベンションニーズには、大規模な各種会議（最大スクール形式400名収容）から、展示会、見本市、学会、少人数のセミナーまで細やかに対応している。

DATA

ゆのくにてんしょう
https://yunokunitensyo.jp/
〒922-0298　石川県加賀市山代温泉19-49-1
☎ 0761（77）1234　FAX 0761（77）1260
Wi-Fi 使用可　外国語対応：英 中（常駐ではない）

■**交通**《車》北陸自動車道 加賀ICから国道8号を金沢方面へ10km、約15分、P300台（無料）《電車》JR・IRいしかわ鉄道 加賀温泉駅からタクシーで約10分 ※送迎有　■**チェックin** 15:00 **out** 10:00
■**食事**《夕・朝食》食事処　■**部屋** 全156室（天祥の館48室〔うち和洋室28室〕、白雲の館88室、洋室20室）　■**風呂** 男女時間帯入替による大浴場3（露天風呂付）、サウナ2　■**泉質** ナトリウム・カルシウム－硫酸塩・塩化物泉（弱アルカリ性低張性高温泉）
■**料金** 2万5300～6万8750円

左上 茅葺の古民家を移築した加賀伝統工芸村「ゆのくにの森」では、50種類以上の伝統工芸が体験できる
左中 150mウォータースライダー&プール　左下 アトリウム・ロビー　右「九谷の湯処」露天風呂

「露天風呂付和Jrスイート」

石川×山代温泉

たちばな四季亭

Tachibana Shikitei

明治元年より 変わらぬおもてなし 桐づくしの老舗料亭旅館

名湯・山代温泉の中心に建つ「たちばな四季亭」は、明治元年創業の老舗宿。「ひらがなのおもてなし」を基本とし、ひらがなのようにやさしく、やわらかい心配りでもてなしてくれる。すべての床に本物の桐を使用した館内は、桐の香りとあたたかさを存分に楽しめる。

山代温泉最古の1号源泉から引かれた源泉100%のお風呂は、夜通し入浴可。開放的な庭園露天風呂で、満天の星空とともに贅沢な湯浴みを堪能したい。

2023年3月には、「露天風呂付和Jr.スイート」と「ひのき展望露天風呂付Jr.スイート」が誕生。大開口窓からはパノラマの絶景が望め、広々とした和室にベッドやソファを配置。山代温泉の1号源泉を引き入れた露天風呂で、滞在中いつでも温泉を満喫できる。2階には「個室食事処 洗心館」もリニューアルオープンした。

DATA

たちばなしきてい
https://www.shikitei.com/
〒922-0256 石川県加賀市山代温泉万松園通16
☎ 0761(77)0001 FAX 0761(76)0001
Wi-Fi 使用可 外国語対応：英 韓 中 台 他

■**交通**《車》北陸自動車道 加賀ICから15分または片山津ICから15分、P60台(無料)《電車》JR北陸本線加賀温泉駅からタクシーで10分 ※送迎有(要予約)
■**チェックin** 15:00 **out** 12:00 ■**食事**《夕・朝食》部屋食(すべて手作りのオリジナル四季亭創作懐石料理)または「個室食事処 洗心館」 ■**部屋** 全20室
■**風呂** 男性大浴場「右近の湯」、男性庭園露天風呂、女性大浴場「左近の湯」、女性庭園露天風呂
■**泉質** ナトリウム・カルシウムー硫酸塩・塩化物泉
■**料金** 2万8000～5万9000円

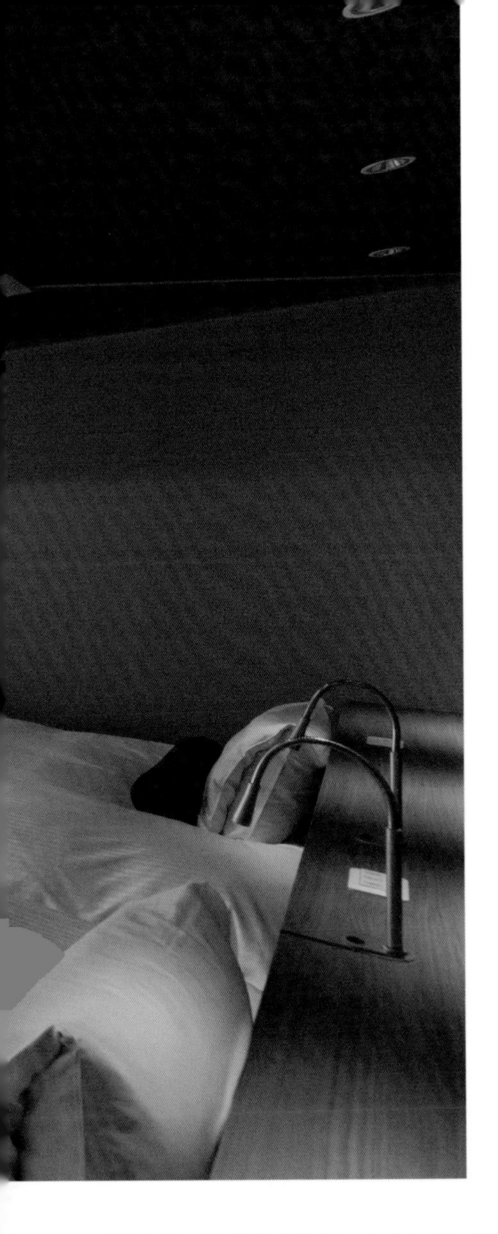

上「展望露天風呂付プレミアム客室 弁柄」 下左「個室食事処 洗心館」 下右 リニューアルした男性用大浴場「右近の湯」

Pick up!

「あいうえお」の郷

誰もが知っている「あいうえお」の五十音はかつて、「いろはにほへと」の順番だった。これを今の五十音にしたのが、山代温泉にある薬王院の初代住職・明覚上人だといわれている。そんな900年前に実在した明覚上人が編集した半音作法のオブジェが、2021年3月に「たちばな四季亭」の目の前に完成。「あいうえお」の郷、山代温泉でひらがなの美しさに触れたい。

▼上左「ひのき展望露天風呂付Jr.スイート」 上右 男性用庭園露天風呂 下左「たちばな四季亭」玄関 下右 月替りの献立での季節感あふれる四季亭懐石イメージ

富山×あわすの温泉

ホテル森の風立山

Hotel Morinokaze Tateyama

左 岩造りの野趣あふれる露天風呂　右上 創作和食一例　右下「ホテル森の風立山」全景

立山黒部と富山湾の恵みに溢れたアルペンルートの玄関口

立山黒部アルペンルートの麓に建つ、立山連峰の本格温泉ホテルである「ホテル森の風立山」。美肌の湯と称されるとろりとした肌触りが湯上がりの肌にうれしいあわすの温泉を、広々とした大浴場で心ゆくまで楽しめる湯宿だ。

館内は、目の前に広がる立山の大自然を眺めることができる宿泊者専用ラウンジがあり、ウェルカムドリンクをいただける。客室は専用門と黒板塀に囲まれ、和庭園のなかにたたずむ温泉付立山別邸「四季彩」や、愛犬と一緒に泊まれる客室などバリエーション豊か。

食事は、天然の生け簀といわれる富山湾で採れた新鮮な海の幸や、北アルプス立山連峰が育んだ山の幸を、創作和食、創作会席で楽しみたい。見た目も味も鮮やかな料理長自慢の富山の恵みを、目と舌で存分に満喫できる。

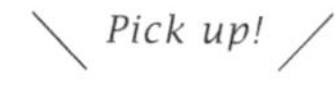

\ Pick up! /

地元の魅力を伝える「ジ・モットコンシェルジュ」

「ホテル森の風立山」にはホテル周辺の隠れた名店や観光地、SNS映えするスポットなどを紹介する「ジ・モット（地元・もっと）コンシェルジュ」といわれるスタッフがいる。彼らが調査したおすすめ情報はホテルロビーの掲示板やホテル公式SNSで情報発信されているので、チェックして出かけてみよう。

左 客室一例
右 正面玄関

DATA

ホテルもりのかぜたてやま
https://www.morinokaze-tateyama.com/
〒930-1454　富山県富山市原3-6
☎ 076(481)1126　FAX 076(481)1255
Wi-Fi 使用可
外国語対応：フロントにてポケトーク通訳

■交通《車》北陸自動車道 立山ICから県道6号線で立山方面へ25km、P100台（無料）《電車》富山地方鉄道立山線 立山駅から車で7分 ※送迎有（要予約）　**■チェックin** 15:00 **out** 10:00　**■食事**《夕食》レストラン、広間《朝食》セットメニュー　**■部屋** 全70室　**■風呂** 男女別大浴場、男女別露天風呂、貸切風呂、サウナ　**■泉質** アルカリ性単純硫黄泉　**■料金** 1万8700〜7万5900円（消費税・サービス料込、入湯税150円別）

福井×あわら温泉

まつや千千

Matsuya Sensen

千の癒しを求める旅へ 源泉と旬の美味を 心ゆくまで堪能

「関西の奥座敷」として知られる福井屈指の温泉街あわら温泉。なかでも、北陸最大級の広さを誇る源泉大浴場「千のこぼれ湯」を擁すのが旅館「まつや千千」だ。

ゆったりと豪快に入れるよう大きく、豪華に造られた男性大浴場とひとりじめの湯やヒーリングサウナなどが揃う女性大浴場で種類豊富な湯めぐりを楽しみたい。

2021年11月には、特別フロア「時忘れ離座」と「せんせん館」の一部客室がリニューアル。シーリー社製のセミダブルベッドを導入し、最高の寝心地を実現。ワーケーションルームも誕生し、モダンな内装と広々としたデスクで、のどかな田園風景を眺めながら仕事に集中できる。

夕食は、地元の厳選された食材を使った会席料理をオープンキッチンスタイルの「旬ダイニング 千の幸」などで、地酒と共に堪能したい。

Pick up!

地酒3種飲みくらべ

夕食会場では、当館おすすめの「地酒3種類の飲み比べ」で、福井の地酒を楽しめる。そのほか、厳選の13蔵の日本酒やさまざまな銘柄のワイン、焼酎、オリジナルカクテルなどが揃う。調理長自慢の料理と共に満喫したい。

●地酒3種類の飲み比べ 1100円(税込)

左 大浴場前の吹き抜け　右上 開放的なオープンキッチンを備えた「旬ダイニング 千の幸」　右下「時忘れ離座」露天風呂付和ベッド

左 女性露天風呂　右「まつや千千」の若女将

DATA

まつやせんせん

https://matuyasensen.co.jp/

〒910-4196　福井県あわら市舟津31-24

☎ 0776(77)2560　FAX 0776(77)3540

Wi-Fi 使用可　外国語対応：英 中

■**交通**《車》北陸自動車道 金津ICから約15分、P200台(無料)《電車》JR芦原温泉駅から車またはバスで約10分 ※送迎有(要予約)　■**チェックin** 15:00 **out** 10:00　■**食事**《夕・朝食》食事処　■**部屋** 全119室　■**風呂** 男女別大浴場各1、男女別露天風呂各1、サウナ　■**泉質** ナトリウム・カルシウム-塩化物温泉　■**料金** 2万4350～4万4150円

兵庫×日和山温泉

ホテル 金波楼

Kinparo

眼前に広がる日本海に 悠々と心なごむ絶景の宿

日和山海岸の海岸線を見下ろす高台に建つ「ホテル 金波楼」。格調高く眺めの良い和風の客室からは、雄大な日本海の絶景を堪能できる。

大浴場は、男性用に「うらしま」、女性用に「おとひめ」があり、打たせ湯やサウナなども完備。露天風呂では、太陽に染まる大海原を眺めながら、天然温泉を満喫したい。

「漁師の街 津居山」と自然豊かな山陰ならではの山海の素材を生かした会席料理は、野菜や魚介類はもちろん、地元の特選素材「但馬牛」のステーキや「松葉ガニ」のコースなど、四季を通じて変化を楽しめるのもうれしい。

渚の館「時じく」は、上質なくつろぎの時間を追い求めたラグジュアリーな大人の空間。屋上庭園に海を望む湯船を配した部屋など、5つのタイプの客室から目的や人数に合わせて選ぶことができる。

Pick up!

リビングパブ「ザ・ウォルラスクラブ」

世界のビールやウィスキー、特製ソーセージなどこだわりのドリンクやフード類をカウンターでセルフオーダーし、リーズナブルに楽しめるシステム。レンガ調の内装に重厚なソファなどを備え、ロンドンのPUBを思わせる落ち着いた空間で、思い思いに上質なひとときを過ごせる。

左 渚の館「時じく スイート」 右上 ロビーラウンジ「波の華」 右下 龍宮テラス

左 日和山海岸から望む朝焼けの龍宮城
右 日本海が一望できる露天風呂

DATA

ホテル　きんぱろう
https://www.kinparo.com/
〒669-6192　兵庫県豊岡市瀬戸1090
☎ 0796(28)2111　FAX 0796(28)2122
Wi-Fi 使用可　外国語対応：英

■**交通**《車》北近畿豊岡自動車道 但馬空港ICから約30分、P100台(無料)《電車》JR山陰本線 城崎温泉駅から送迎バスで10分(要予約)　■**チェックin** 15:00 **out** 10:00　■**食事**《夕食》ダイニング《朝食》レストラン、ダイニング　■**部屋** 全70室　■**風呂** 男女別大浴場各1、露天風呂、サウナ　■**泉質** ナトリウム・カルシウム―塩化物泉　■**料金** 1万7000～4万5000円

長寿大岩風呂「かんのんの湯」

兵庫×湯村温泉

佳泉郷 井づつや

Kasenkyo Izutsuya

湯で迎え
旬でもてなし心通う

国道9号沿いで温泉街を一望できる、創業300年以上の老舗旅館「佳泉郷 井づつや」。約1000坪の日本庭園は四季折々の風情が楽しめ、通路には絵画や陶磁器、能面が飾られ館内ギャラリーとなっている。客室は、源泉温泉露天風呂付特別室「雅」と源泉温泉テラス露天風呂付和室「栞（しおり）」に加え、今年4月には『ユニバーサルツーリズム』をテーマにしたジュニアスイート「彩いろどり」が5室誕生し、贅沢な時間を過ごすことができる。

効能豊かな自家源泉は、趣向を凝らした8種の浴場で満喫。豊富な湯量で、全客室の湯船や露天風呂、洗面室まですべて温泉を使用している。展望桧風呂からは、壮大な湯村の景色が望め、日頃の疲れを癒してくれる。

料理は、松葉ガニをはじめとする日本海で獲れた旬の魚介類を堪能できる。また、「和牛の芸術品」とも称される地元特産の但馬牛も絶品だ。

上 新鮮な日本海の幸を盛り込んだお造里
下 料理人が目の前で調理してくれる席前料理

上 展望桧風呂「和みの湯」
下 源泉温泉露天風呂付特別室「雅」

Pick up!

但馬の地酒いろいろ

但馬を代表する酒蔵「香住鶴（かすみつる）」と「竹泉（ちくせん）」で造られた「井づつや」オリジナルラベルの地酒。どちらも魚介類に合う柔らかな旨味と程よい酸味があり、夕食時の注文だけでなくお土産としても人気だ。

DATA

かせんきょう　いづつや
https://www.izutuya.com/
〒669-6821　兵庫県美方郡新温泉町湯1535
☎ 0796（92）1111　FAX 0796（92）2133
Wi-Fi 使用可　外国語対応：英

■**交通**《車》北近畿豊岡自動車道 八鹿氷ノ山ICから国道9号を40㎞、P100台（無料）《電車》JR山陰本線浜坂駅からバスで25分、または鳥取空港からタクシーで40分　■**チェックin** 15:00 **out** 10:00　■**食事**《夕食》料亭、レストラン、宴会場《朝食》食事会場、レストラン　■**部屋** 全97室　■**風呂** 長寿大岩風呂、露天風呂、展望桧風呂　■**泉質** 単純炭酸泉
■**料金** 1万8000〜5万円

左 2023年7月にオープンした展望大浴場　右上 絶景の海空間が広がる最上階の「準特別室」　右下 特別フロア「波の音」温泉内風呂付客室

兵庫×洲本温泉

淡路インターナショナルホテル ザ・サンプラザ

The Sunplaza

湯あそびお部屋あそびの楽しみを

　こまやかな気配りが随所に感じられる「淡路インターナショナルホテル ザ・サンプラザ」は、淡路島の東海岸、サントピアマリーナ内に建つ。全室オーシャンビューの客室からは、一枚の絵のような絶景を望むことができる。

　大浴場は露天風呂や釜風呂、気泡風呂などを備え、2棟ある展望貸切風呂も好評。リラクゼーションサロン「季沙羅」もあり、心身共に癒される。

　あらゆるニーズに対応した館内は、身体が不自由な方や高齢者のため各所にスロープや手すりを設置。子供連れでも安心して宿泊できるよう配慮されている。

　2023年7月には「海風が通り過ぎる展望大浴場」が完成。そのほか、スナック＆バー「阿波路」や麺処「舞扇」、スーベニアショップなどが揃い、充実した時を過ごせること請け合いだ。

Pick up!

展望大浴場&フィンランドサウナオープン！

2023年7月、「海風が通り過ぎる展望大浴場」が完成。刻々と変化する海を眺めながら、開放的な浴場で思う存分温泉を満喫。1階には本格的なフィンランドサウナを併設し、話題のロウリュサウナで心地よくリラックス効果を体感できる。

DATA

あわじインターナショナルホテル　ザ・サンプラザ
https://www.the-sunplaza.co.jp/
〒656-0023　兵庫県洲本市小路谷1279-13
☎ 0799(23)1212　FAX 0799(22)5823
Wi-Fi 使用可　外国語対応：英

■**交通**《車》神戸淡路鳴門自動車道 洲本ICから国道28号を洲本方面へ10km、P60台（無料）《電車》JR東海道本線 三ノ宮駅下車、バスで洲本高速バスセンター下車後タクシーで10分　■**チェックin** 15:00 **out** 10:00　■**食事**《夕・朝食》部屋食、食事処　■**部屋** 全54室（和室33室、和洋室19室、特別室1室、準特別室1室）　■**風呂** 男女別大浴場各1（打たせ湯、気泡湯、露天風呂、男性用サウナ、女性用ミストサウナ）、貸切風呂、プール（夏季限定）　■**泉質** アルカリ性単純泉　■**料金** 2万1450～6万280円

左 新鮮な淡路島の素材を盛り込んだ会席料理
右上 檜が香るくつろぎの貸切風呂「東雲」
右下 ガーデンプール（夏季限定）

皆生つるや［鳥取・皆生温泉］

佳翠苑 皆美［島根・玉造温泉］

湯元こんぴら温泉華の湯 紅梅亭［香川・こんぴら温泉郷］

香川・湯元こんぴら温泉華の湯 紅梅亭（P.96）

鳥取×皆生温泉

皆生つるや

Kaike Tsuruya

左 9階バンケットホール　右上 8階貴賓室
右下 2022年3月にオープンした貸切風呂

山陰の大自然に包まれた四季を奏でるさらさの宿

日本海に面し、米子の奥座敷と呼ばれる皆生温泉。9階建ての堂々とした建物に、しっとりとした和のたたずまいの宿が「皆生つるや」だ。豊富な宴会場も揃い、最上階の秀峰大山と日本海を眺望する「バンケットホール大山」は、絶好のロケーションのなか披露宴などに利用できる。

客室は、和室や洋室のほか、大山を眺められる露天風呂付の特別室も揃う。御影石の浴槽に檜の柱や梁が調和した大浴場には、風情あふれる露天風呂も併設。2023年3月には2つの貸切風呂「更紗の湯」「和みの湯」がオープンし、天然温泉掛け流しでゆっくりとくつろぎたい。

夕食は、新鮮な海の幸を使用した会席料理を少人数なら客室で、グループなら数寄屋のしつらいも見事な料亭で堪能。朝食は、素晴らしい眺望が見渡せる9階ホールで、体にやさしい純和風の食事をいただける。

Pick up!

オリジナルキャラクター「つるちゃん」

「皆生つるや」オリジナルのゆるキャラ「つるちゃん」。お正月やお盆などには、ロビーで迎えてくれる。2022年の「つるちゃんの夏祭り」では、輪投げ・魚釣りなどのゲームコーナーや「つるちゃん」との記念撮影など、夏休みの家族旅行にぴったりのイベントが開催された。

左 新鮮な海の幸を使用した夕食（一例）
右 時間によって照明の色が変化する中庭

DATA

かいけつるや
https://www.kaiketuruya.com/
〒683-0001　鳥取県米子市皆生温泉2-5-1
☎ 0859（22）6181　FAX 0859（22）0286
Wi-Fi 使用可　外国語対応：英

■**交通**《車》米子自動車道 米子ICから国道431号を皆生温泉方面へ5km、P100台（無料）《電車》JR山陰本線 米子駅から皆生温泉行バスで20分、観光センター下車　■**チェックin** 15:00 **out** 10:00　■**食事**《夕食》部屋食、料亭《朝食》レストラン（和会席）
■**部屋** 全66室　■**風呂** 男女別大浴場各1（ジャグジー露天風呂付）、貸切風呂2（1回60分 5000円 税込）
■**泉質** ナトリウム・カルシウム塩化物泉
■**料金** 2万～6万円

美しい日本庭園

島根×玉造温泉

佳翠苑 皆美

Minami

130年の伝統のおもてなし「客ノ心ニナリテ亭主セヨ」

温泉街を流れる玉湯川沿いにたたずむ、純和風の宿「佳翠苑 皆美」。しっとりとした和風情緒が漂う館内のラウンジからは美しい日本庭園が一望でき、旅の疲れを癒してくれる。

客室は、和室「瑞光」や和洋室タイプの「ときの宿りフロア 天ゆら」などを中心に、源泉掛け流しの温泉付客室など、趣の異なるさまざまな種類が揃う。美肌の湯として知られる名湯、玉造の湯は「うるわしガーデン」で。「楽・美・健」をテーマに露天風呂、手湯足湯、タイ古式サロン、足裏サロンなど豊富な設備があり、湯遊びと憩いのスペースになっている。

楽しみな夕食は、旬の食材を老舗旅館「皆美館」より受け継がれた伝統の味で堪能することができる。朝食は、宍道湖のしじみ汁や、炊き立ての仁多米など御馳走ビュッフェを思う存分満喫したい。

上 色鮮やかな食事（一例）
下 旬の宿りダイニング「穀厨（こくり）」

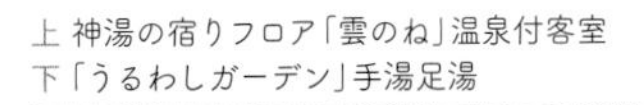

上 神湯の宿りフロア「雲のね」温泉付客室
下「うるわしガーデン」手湯足湯

Pick up!

おすすめのお土産「料亭皆美 鯛のだし」

皆美家伝料理「鯛めし」の出汁の素になっている日本海沖の連子鯛（レンコダイ）の煮干しで作られた「料亭皆美 鯛のだし」。炊き込みご飯やお茶漬けなどのご飯によく合う出汁で、深いコクとうまみが自宅で簡単に味わえる優秀な逸品だ。

DATA

かすいえん　みなみ
https://www.kasuien-minami.jp/
〒699-0201　島根県松江市玉湯町玉造1218-8
☎ 0852(62)0331　FAX 0852(62)0019
Wi-Fi 使用可　外国語対応：英 中 台

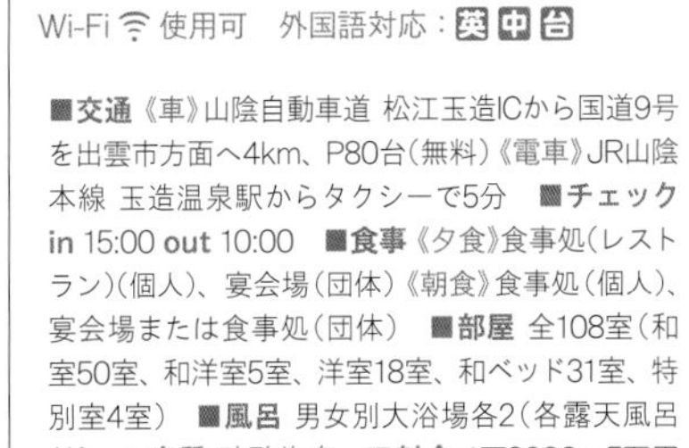

■交通《車》山陰自動車道 松江玉造ICから国道9号を出雲市方面へ4km、P80台(無料)《電車》JR山陰本線 玉造温泉駅からタクシーで5分　**■チェック** in 15:00 out 10:00　**■食事**《夕食》食事処(レストラン)(個人)、宴会場(団体)《朝食》食事処(個人)、宴会場または食事処(団体)　**■部屋** 全108室(和室50室、和洋室5室、洋室18室、和ベッド31室、特別室4室)　**■風呂** 男女別大浴場各2(各露天風呂付)　**■泉質** 硫酸塩泉　**■料金** 1万9000～5万円《特別室》4万円～

左「リビングスイート君子香」の温泉露天風呂　右上「はな露天」(婦人風呂のみ)　右下 そよかぜ「庭見の湯」

香川×こんぴら温泉郷

湯元こんぴら温泉華の湯 紅梅亭

Koubaitei

2つの温泉を多彩なお風呂で楽しむ和風宿一つ上のくつろぎを

今なお江戸情緒が香る風情あふれる金刀比羅宮の門前町、琴平に建つ和風旅館。温泉は、敷地内に湧く源泉「湯元こんぴら温泉華の湯」と琴平町の智光院温泉、2種を堪能できる。大浴場と露天風呂では、15種類の湯めぐりを。なかでも、バラの花を浮かべた女性用露天風呂「はな露天」は好評だ。

客室は、2023年3月にオープンした和モダンの温泉露天風呂付和洋室「リビングスイート君子香」と「君子香ユニバーサルルーム」が人気。

割烹ダイニング「丸忠」は、300年前の梁を使った木造建築とモダンな雰囲気のオーベルジュ風のダイニング。ライブ感あふれる調理風景を眺めながら、そこで調理された出来立ての料理を楽しめる。このほか、セレクトショップ「木の花小路」やクラブラウンジ「暫」など設備も充実している。

Pick up!

「紅梅亭 別邸とら梅」オープン

今年6月、愛犬と泊まれる「別邸とら梅」(全4室)がオープン。各室には愛犬も入浴できる専用の温泉露天風呂と、一緒に食事ができるダイニングルーム、専用ドッグラン、テラスなどを備え、共有スペースにはドッグランとラウンジ(フリードリンクコーナー)を設置。愛犬と過ごす特別な休日を満喫できる。

※泊まれるのは体重10kg未満の小型犬・超小型犬のみ

DATA

ゆもとこんぴらおんせんはなのゆ　こうばいてい
https://www.koubaitei.jp/
〒766-0001　香川県仲多度郡琴平町556-1
☎ 0877(75)1111　FAX 0877(75)5188
Wi-Fi 使用可　外国語対応：英

■**交通**《車》高松自動車道 善通寺ICから琴平駅方面へ6km、P70台(無料)《電車》JR土讃線 琴平駅から徒歩5分　■**チェックin** 15:00 **out** 10:00　■**食事**《夕食》レストラン、個室《朝食》レストラン　■**部屋** 全69室　■**風呂** 男女別大浴場(露天風呂、サウナ)、庭園露天風呂大浴場　■**泉質** ナトリウム—塩化物泉　■**料金** 2万7100円～《露天風呂付客室・らくわ露天風呂付》3万3700円～《コーナースイート》4万1400円～《リビングスイート君子香》4万2500円～《別邸とら梅》4万9650円～

左「紅梅亭」和室10畳(一例)
右 割烹ダイニング「丸忠」

日本の橋

―中国・四国編 ❶―

本州と四国を結ぶ「本州四国連絡橋」

本州と四国を結ぶ架橋の構想は意外と古く、明治期までさかのぼる。具体的な調査は1959年に開始され、当時の建設省や国鉄で進められた。ルートが決定したのは1969年で、1975年に着工した。ルートには5つの候補があったが、着工・完成したのは3つ。どのルートも絶景なので、機会があればぜひ通ってみたい。

神戸・鳴門ルート

全線開通は1998年。自動車専用道路で、兵庫県神戸市と徳島県鳴門市を結ぶ。ルートの全長は89kmと3ルートの中で最も長いが、橋の部分は6.5kmと最も短い。明石海峡大橋、大鳴門（おおなると）橋、撫養（むや）橋の3橋で結ばれ、見所は全長1629mの大鳴門橋と、全長3911mの明石海峡大橋。明石海峡大橋は2022年まで、世界最長の吊橋だった。管理者が認める正式名称ではないが、特に夜景が美しく「パールブリッジ」の愛称がある。交通量は他の2ルートよりも多い。

明石海峡大橋

明石海峡を横断する吊橋。兵庫県神戸市垂水区と淡路市を結ぶ。1995年の阪神・淡路大震災によって地盤のずれが発生し、全長が1m伸びている。

大鳴門橋

鳴門海峡の最狭部を結ぶ吊橋。兵庫県南あわじ市と徳島県鳴門市鳴門町を結ぶ。橋の下部は将来、四国新幹線を通すことができる設計になっている。

日本の橋

—中国・四国編❷—

児島・坂出ルート

全線開通は1988年。自動車専用道路と鉄道路線で、岡山県倉敷市と香川県坂出市を結ぶ。ルートの全長は37.3km。橋の部分は9.4km。本州と四国が最初に陸続きになったルートで、下津井瀬戸大橋、櫃石島橋、岩黒島橋、与島橋、北備讃瀬戸大橋、南備讃瀬戸大橋の6橋がある。北備讃瀬戸大橋と南備讃瀬戸大橋は吊橋で、高さは最大194mもある。北備讃瀬戸大橋は全長1611m、南備讃瀬戸大橋は1723m。鉄道がある唯一のルートで、JR本四備讃線が通る。

瀬戸大橋

瀬戸大橋は、岡山県倉敷市と香川県坂出市を結ぶ10の橋の総称。瀬戸大橋全体としては、道路と鉄道が通る併用橋として世界最長とされる。

尾道・今治ルート

全線開通は1999年。自動車専用道路に歩行者・自転車・原付専用道路が併設されていて、広島県尾道市と愛媛県今治市を結ぶ。ルートの全長は59.4km。橋の部分は9.5km。新尾道大橋、尾道大橋、因島大橋、生口橋、多々羅大橋、大三島橋、伯方・大島大橋、来島海峡第一大橋、来島海峡第二大橋、来島海峡第三大橋の10の橋で結ばれる。自動車以外に、歩行者、自転車、排気量125ccの原動機付自転車が通行できる。3ルートの中では、観光道路の要素が最も強い。

瀬戸内しまなみ海道

最大の特徴は、しまなみ海道サイクリングロード。日本を代表する長距離サイクリングルートだ。日本で初めての海峡横断する自転車道路でもある。

九州

いぶすき秀水園［鹿児島・指宿温泉］

ふもと旅館［熊本・黒川温泉］

熊本・ふもと旅館（P.102）

指宿の食材が魅せるここでしか味わえない「匠会席」

鹿児島×指宿温泉

いぶすき秀水園

Ibusuki Syusuien

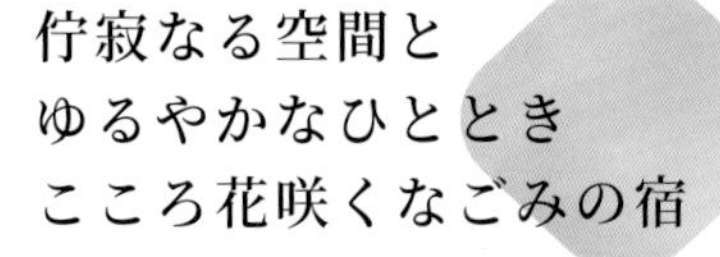

佇寂なる空間と ゆるやかなひととき こころ花咲くなごみの宿

南国情緒漂う薩摩路に、ふと時間を忘れさせるような純和風の宿「いぶすき秀水園」は、上品な数寄屋造りのたたずまい。明治維新を打ち立てた薩摩の先人たちの書や、ゆかりのある調度品の数々を展示しているロビーからは枯山水の庭園を望む。2022年8月に創業60周年を迎え、最上階5階の特別室などのリニューアルを行い、新和洋室「鶴丸」もオープンした。

約800の源泉を有する指宿温泉。天然保湿成分の含有量が日本でも屈指といわれる美肌の湯を、大浴場と専用リビング付の半露天貸切湯浴み処で堪能できる。

食事は薩摩の四季折々の山海の幸を、彩り豊かに盛り込んだ会席料理。「薩摩黒豚の柔らか煮」や「アワビの素味噌焼き」など、ここでしか味わえない逸品を求めて、全国各地から足を運ぶリピーターが後を絶たない。

DATA

いぶすきしゅうすいえん
https://www.syusuien.co.jp/
〒891-0406　鹿児島県指宿市湯の浜5丁目27-27
☎ 0993(23)4141　FAX 0993(24)4992
Wi-Fi 使用可　外国語対応：英

■**交通**《車》九州自動車道 谷山ICから国道226号を40km、P50台(無料)《電車》JR指宿枕崎線 指宿駅からタクシーで5分　■**チェックin** 14:00 **out** 10:30　■**食事**《夕・朝食》部屋食または個室会食場(個人)、宴会場(団体)　■**部屋** 全46室　■**風呂** 大浴場2、サウナ2、露天風呂2、天然砂むし温泉「砂楽」(徒歩4分)　■**泉質** ナトリウム－塩化物泉　■**料金** 3万1000～6万円

上 山水の庭園が映えるロビー　下左 個室食事処「島津藩」　下右 個室食事処「四季彩」

Pick up!

鰹本枯節「生ふりかけ」

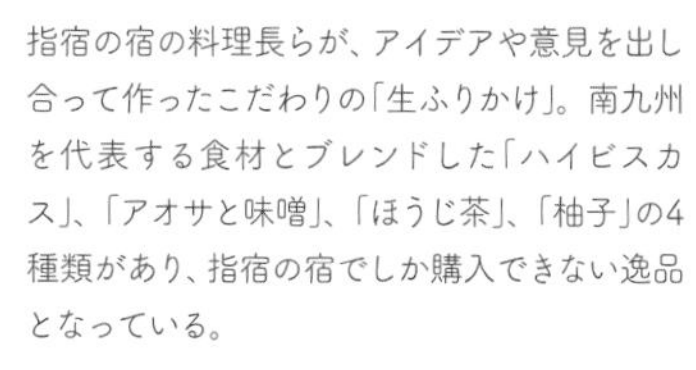

指宿の宿の料理長らが、アイデアや意見を出し合って作ったこだわりの「生ふりかけ」。南九州を代表する食材とブレンドした「ハイビスカス」、「アオサと味噌」、「ほうじ茶」、「柚子」の4種類があり、指宿の宿でしか購入できない逸品となっている。

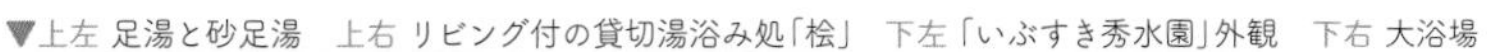

▼上左 足湯と砂足湯　上右 リビング付の貸切湯浴み処「桧」　下左「いぶすき秀水園」外観　下右 大浴場

熊本×黒川温泉

ふもと旅館

Fumoto Ryokan

贅沢な源泉湯宿で
心ゆくまで湯めぐりを堪能

緑豊かな山々に囲まれた黒川温泉。その街中に位置する「ふもと旅館」は、豊富なお風呂の数が自慢の宿だ。男性用露天風呂「もみじの湯」や女性用露天風呂「うえん湯」をはじめ、多彩に揃う11カ所の貸切風呂、客室露天風呂、足湯を含めた17種類のお風呂で、100%源泉掛け流しの湯を満喫できる。貸切風呂は予約なしでいつでも入浴可能。誰にも邪魔されず、ゆったりとくつろぐことができる。

夕食は、地元野菜や熊本産の肉のうまみを生かした料理で、上質のもののみを提供するこだわり。女将が献立を考案し、時には自ら仕込んだ品々が並ぶ。

本館は太い梁が走る伝統的な建築様式で、和の風情が郷愁を誘う。別館の客室には露天風呂が備わり、24時間いつでも気兼ねなく温泉を満喫できる。

Pick up!

日本一深い立ち湯が人気の宿「こうの湯」

ふもと旅館の別邸「こうの湯」。全9室すべての客室に源泉掛け流しの露天風呂を備え、木造建築と素朴な家具調度品など黒川温泉らしさを残している。大浴場の露天風呂「森の湯」には、深さ最大162cmの「日本一深い立ち湯」があり、湯量豊富な自家源泉を思う存分楽しめる。

左 男性露天「もみじの湯」 右上 貸切風呂の立ち湯
右下 貸切風呂の野天風呂

左 夕食一例
右「ふもと旅館」外観

DATA

ふもとりょかん
https://www.fumotoryokan.com/
〒869-2402 熊本県阿蘇郡南小国町満願寺6697
☎ 0967(44)0918 FAX 0967(44)0850
Wi-Fi 使用可 外国語対応：英 韓 中

■**交通**《車》大分道日田ICから国道212号を小国方面へ50分、国道442号を黒川温泉方面へ15分、P15台(無料)《電車》JR阿蘇駅から九州横断バスで別府方面へ約60分、黒川温泉下車後徒歩約5分 ■**チェックin** 15:00 **out** 10:00(別館は11:00) ■**食事**《夕食》部屋食または会場食《朝食》食事処 ■**部屋** 全14室 ■**風呂** 大浴場(露天風呂)、貸切風呂、客室露天風呂、足湯 ■**泉質** ナトリウム－塩化物・硫酸塩温泉 ■**料金** 2万2000円～

日本の小宿

ちちぶ温泉 はなのや［埼玉・秩父温泉］

ウェルネスハウス SARAI［石川・和田山古墳 九谷の湯］

石川・ウェルネスハウス SARAI（P.105）

埼玉×秩父温泉 - Hananoya -

ちちぶ温泉 はなのや

花と湯のおもてなしの宿「ちちぶ温泉 はなのや」。自然あふれる秩父の山々に囲まれた心地の良い環境で、ゆったりとした癒しの空間を提供している。

全室露天風呂付客室で、客室露天の湯も贅沢な温泉。ナトリウム、塩素、炭酸水素、メタホウ酸の各イオン成分が日本の温泉の平均含有量より多く、関東屈指の高濃度の名湯「三峰神の湯」を使用している。泉質はすぐに身体が温まると人気の塩化物泉で、滞在中はいつでも好きなだけ湯浴みを楽しめる。また、客室によって露天風呂や内湯の趣が異なるため、何度も足を運びたくなると好評だ。

食事は個室風食事処「花月」で、名物の豚しゃぶや秩父そばなど、秩父の食材を生かした料理をいただける。木の温もりが優しい個室でゆっくりと食事を堪能したい。

特別室 露天風呂一例

上 創作和食懐石（夕食） 下 個室風お食事処「花月」

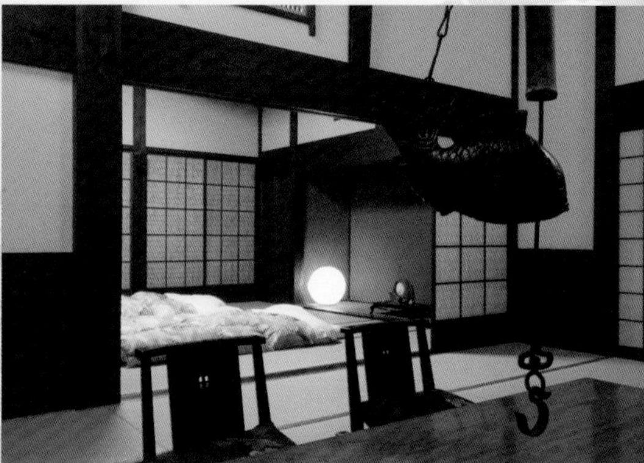

左 玄関へ続くアプローチ
右 古民家を移築した特別室「武甲」

左 大浴場でのサービス「月見酒」
右 2022年新規オープン姉妹旅館「湯宿 羊山邸」。こちらも贅沢な全室露天風呂付

DATA

ちちぶおんせん　はなのや
https://www.hananoya-chichibu.jp/
〒369-1803　埼玉県秩父市荒川日野542
☎ 0494（54）2654　FAX 0494（54）2653
Wi-Fi 使用可　外国語対応：英 韓 中 台 他

■**交通**《車》関越自動車道 花園ICから長瀞・秩父方面へ約40分、P30台（無料）《電車》秩父鉄道 武州日野駅から徒歩約15分 ※送迎有　■**チェックin** 15:00 **out** 10:00　■**食事**《夕・朝食》個室風食事処　■**部屋** 全25室　■**風呂** 男女別大浴場各1、男女別露天風呂各1、客室露天風呂　■**泉質** ナトリウム−塩化物泉　■**料金** 1万4000〜2万3000円

石川×和田山古墳 九谷の湯 - Sarai -

ウェルネスハウス SARAI

九谷焼で有名な石川県能美市に位置する「ウェルネスハウス SARAI」。従来の研修施設を地元にゆかりのある若手九谷作家8名がそれぞれ1室ずつをプロデュース。インテリアや内装などアートや文化、伝統が感じられるホテルへと生まれ変わった。

夕食は地産地消に取り組み、地元食材をふんだんに使用した和洋創作料理。有名ホテルで経験のシェフが食材にこだわり、これまでの健康食のイメージを一新する料理を、九谷焼のお皿でいただくことができる。カフェラウンジではレトロモダンな空間で、九谷作家の作品を眺めながら入れたてのコーヒーや自家製スイーツを満喫。

九谷焼の世界に浸れるスパ&ラウンジでは、話題の入浴剤や美容シャワーヘッドなど最新製品が取り入れられ、身体も心もリフレッシュできるだろう。

井上雅子プロデュースの和室「龍」

左 ロビー　中 牟田陽日プロデュースの洋室「眠りの島」　右「ウェルネスハウス SARAI」外観

DATA

ウェルネスハウス さらい
https://www.nomi-sarai.com/
〒923-1105　石川県能美市石子町ハ147-1
☎ 00761(57)1212　FAX 0761(57)1213
Wi-Fi 使用可

■**交通**《車》北陸自動車道 能美根上スマートICから約15分、P84台(無料)《電車》IRいしかわ鉄道 能美根上駅からバスで約16分　■**チェックin** 16:00 **out** 10:00　■**食事**《夕・朝食》レストラン　■**部屋** 全8室　■**風呂** 男女別大浴場各1　■**泉質** 人工温泉　■**料金** 1万746〜1万2746円(洋室)

日本の橋

—秩父編—

秩父地方で最古級の歴史がある 秩父橋

秩父(ちちぶ)橋は、荒川を渡る国道に架かる橋。現在の道路橋は3代目で、1985年に完成。2代目の旧秩父橋は撤去されておらず、現在は人だけが通れる橋上公園になっている。

この付近の荒川には、かつて渡し船があった。その記録は18世紀中頃のものが残されているが、渡し船が設けられた時期はわかっていない。

秩父橋は、埼玉県西部の小鹿野(おがの)町や北西部の児玉(こだま)町への主要道路の一部としての重要な役割を担ってきた。1885年に建設された初代の秩父橋は、全長142.12m、幅4.24m、高さ21.8mだったとされる。木金混成のトラス構造だったとされ、現在は橋脚だけが残っている。

現在も残る2代目は、1931年に完成し、旧秩父橋と呼ばれている。秩父地方のシンボルとなっており、埼玉県指定有形文化財に指定されている。

上 秩父橋の下を流れる荒川
下 旧秩父橋から現在の道路橋である秩父橋を臨む

加賀百万石、藩主の私邸

兼六園

江戸時代に加賀、能登、越中(現在の石川県・富山県)の3国の大半を領地とした加賀藩によって造営された日本庭園で、あまりにも有名な兼六園。国の特別名勝に指定されており、およそ12haほどの広さを誇る。

起源は17世紀までさかのぼり、江戸時代を代表する回遊式庭園で、岡山市の後楽園、水戸市の偕楽園と並び日本三名園とされる。

加賀藩5代藩主の前田綱紀は、別荘として蓮池御殿を建て、周囲を庭園にした。これが兼六園の始まりとされる。その後、2回焼失し、10代藩主の前田治脩が庭園を再興。11代藩主の前田斉広が整備を進め、1822年に「兼六園」と命名される。12代藩主の前田斉泰の頃に、現在の「兼六園」の形に近くなったといわれている。

江戸時代は大名の私邸として非公開だったが、明治時代になると限定的な公開が始まる。その数年後には一般公開が始まり、同時に観光資源としての利用も始まった。

四季の風景はそれぞれに趣があるが、特に雪吊りは冬の風物として有名。そのほか、梅や桜、紅葉の名所でもあり、定期的に開催される夜のライトアップも美しい。

1976年から入園が有料となり、24時間の解放から入園時間が制限されるようになる。

季節を通して見どころが満載の兼六園

冬には日本最大の雪吊りを見ることができる

年間を通して定期的にライトアップのイベントを開催している

データバンク

DATA BANK 2025

総合100選

もてなし部門100選

料理部門100選

施設部門100選

企画部門100選

第49回 プロが選んだ日本のホテル・旅館100選

総合100選

もてなし、料理、施設、企画の4部門の合計得点が高い宿(つまりは総合評価の高い宿)がここで紹介する「総合100選の宿」。得点の高い順に掲載しているので、旅のプロたちが選んだ『日本を代表するホテルと旅館』が得点順にわかる仕組みだ。ぜひ宿選びのバイブルとして活用したい。

順位	館名	温泉地名	〒	住所	電話番号
1	加賀屋 令和6年能登半島地震被災のため休館中(令和6年7月末現在)	和倉温泉	926-0192	石川県七尾市和倉町ヨ部80	0767-62-1111
2	水明館	下呂温泉	509-2206	岐阜県下呂市幸田1268	0576-25-2800
3	八幡屋	母畑温泉	963-7831	福島県石川郡石川町母畑字樋田75-1	0247-26-3131
4	白玉の湯 泉慶/華鳳	月岡温泉	959-2395	新潟県新発田市月岡温泉453	0254-32-1111
5	ゆのくに天祥	山代温泉	922-0298	石川県加賀市山代温泉19-49-1	0761-77-1234
6	稲取 銀水荘	稲取温泉	413-0411	静岡県賀茂郡東伊豆町稲取1624-1	0557-95-2211
7	指宿白水館	指宿温泉	891-0404	鹿児島県指宿市東方12126-12	0993-22-3131
8	富士山温泉 ホテル鐘山苑	富士山温泉	403-0032	山梨県富士吉田市上吉田東9-1-18	0555-22-3168
9	結びの宿 愛隣館	新鉛温泉	025-0252	岩手県花巻市鉛字西鉛23	0198-25-2619
10	いぶすき秀水園	指宿温泉	891-0406	鹿児島県指宿市湯の浜5-27-27	0993-23-4141
11	萬国屋	あつみ温泉	999-7204	山形県鶴岡市湯温海丁1	0570-00-8598
12	草津白根観光 ホテル櫻井	草津温泉	377-1711	群馬県吾妻郡草津町465-4	0279-88-1111
13	吉川屋	奥飯坂・穴原温泉	960-0282	福島県福島市飯坂町湯野字新湯6	024-542-2226
14	常磐ホテル	信玄の湯 湯村温泉	400-0073	山梨県甲府市湯村2-5-21	055-254-3111
15	南三陸ホテル 観洋	南三陸温泉	986-0766	宮城県本吉郡南三陸町黒崎99-17	0226-46-2442
16	日本の宿古窯	かみのやま温泉	999-3292	山形県上山市葉山5-20	0570-00-5454
17	佳翠苑 皆美	玉造温泉	699-0201	島根県松江市玉湯町玉造1218-8	0852-62-0331
18	たちばなや	あつみ温泉	999-7204	山形県鶴岡市湯温海丁3	0235-43-2211
19	あかん遊久の里鶴雅	阿寒湖温泉	085-0467	北海道釧路市阿寒町阿寒湖温泉1丁目4-6-10	0154-67-4000
20	水が織りなす越後の宿 双葉	越後湯沢温泉	949-6101	新潟県南魚沼郡湯沢町湯沢419	025-784-3357
21	あさや	鬼怒川温泉	321-2598	栃木県日光市鬼怒川温泉滝813	0288-77-1111
22	佳泉郷 井づつや	湯村温泉	669-6821	兵庫県美方郡新温泉町湯1535	0796-92-1111
23	大谷山荘	長門湯本温泉	759-4103	山口県長門市深川湯本2208	0837-25-3221
24	満ちてくる心の宿 吉夢	小湊温泉	299-5501	千葉県鴨川市小湊182-2	04-7095-2111
25	しんわ千季 戸田家	鳥羽温泉郷	517-0011	三重県鳥羽市鳥羽1-24-26	0599-25-2500
26	飲泉・自家源泉かけ流しの秘湯 観音温泉	観音温泉	413-0712	静岡県下田市横川1092-1	0558-28-1234
27	全館源泉掛け流しの宿 慶雲館	西山温泉	409-2702	山梨県南巨摩郡早川町西山温泉	0556-48-2111
28	ホテル花水木	長島温泉	511-1192	三重県桑名市長島町浦安333	0594-45-1111
29	ホテル華の湯	磐梯熱海温泉	963-1387	福島県郡山市熱海町熱海5-8-60	024-984-2222
30	里山の別邸 下田セントラルホテル	伊豆の下田相玉温泉	413-0711	静岡県下田市相玉133-1	0558-28-1126
31	美ヶ原温泉 翔峰	美ヶ原温泉	390-0221	長野県松本市里山辺527	0263-38-7755
32	源泉湯の宿 松乃井	水上温泉	379-1617	群馬県利根郡みなかみ町湯原551	0278-72-3200
33	日光千姫物語	日光温泉	321-1432	栃木県日光市安川町6-48	0288-54-1010
34	湯元こんぴら温泉華の湯 紅梅亭	こんぴら温泉郷	766-0001	香川県仲多度郡琴平町556-1	0877-75-1111
35	一番湯の宿 ホテル木暮	伊香保温泉	377-0102	群馬県渋川市伊香保町伊香保135	0279-72-2701
36	大川荘	芦ノ牧温泉	969-5147	福島県会津若松市大戸町大字芦ノ牧字下平984	0242-92-2111
37	別邸 仙寿庵	水上温泉郷 谷川温泉	379-1619	群馬県利根郡みなかみ町谷川614	0278-20-4141
38	八乙女	由良温泉	999-7464	山形県鶴岡市由良3-16-31	0235-73-3811
39	華水亭	皆生温泉	683-0001	鳥取県米子市皆生温泉4-19-10	0859-33-0001
40	ホテル清風苑	月岡温泉	959-2397	新潟県新発田市大字月岡278-2	0254-32-2000
41	舌切雀のお宿 ホテル磯部ガーデン	磯部温泉	379-0127	群馬県安中市磯部1-12-5	027-385-0085
42	茶寮の宿 あえの風 令和6年能登半島地震被災のため休館中(令和6年7月末現在)	和倉温泉	926-0192	石川県七尾市和倉町和歌崎8-1	0767-62-3333
43	若草の宿 丸栄	富士河口湖温泉	401-0302	山梨県南都留郡富士河口湖町小立498	0555-72-1371
44	ホテル森の風鶯宿	鶯宿温泉	020-0574	岩手県岩手郡雫石町鶯宿10-64-1	0120-489-166
45	日本の宿 のと楽 令和6年能登半島地震被災のため休館中(令和6年7月末現在)	和倉温泉	926-0178	石川県七尾市石崎町香島1-14	0767-62-3131

順位	館名	温泉地名	〒	住所	電話番号
46	まつや千千	あわら温泉	910-4196	福井県あわら市舟津31-24	0776-77-2560
47	海一望絶景の宿 いなとり荘	稲取温泉	413-0411	静岡県賀茂郡東伊豆町稲取1531	0557-95-1234
48	鬼怒川グランドホテル 夢の季	鬼怒川温泉	321-2522	栃木県日光市鬼怒川温泉大原1021	0288-77-1313
49	扉温泉 明神館	扉温泉	390-0222	長野県松本市入山辺8967	0263-31-2301
50	庄助の宿 瀧の湯	東山温泉	965-0814	福島県会津若松市東山温泉108	0242-29-1000
51	堂ヶ島 ニュー銀水	堂ヶ島温泉	410-3514	静岡県賀茂郡西伊豆町仁科2977-1	0558-52-2211
52	ホテル金波楼	日和山温泉	669-6192	兵庫県豊岡市瀬戸1090	0796-28-2111
53	蔵王国際ホテル	蔵王温泉	990-2301	山形県山形市蔵王温泉933	023-694-2111
54	第一滝本館	登別温泉	059-0595	北海道登別市登別温泉町５５	0143-84-2111
55	皆生つるや	皆生温泉	683-0001	鳥取県米子市皆生温泉2-5-1	0859-22-6181
56	ことひら温泉 琴参閣	こんぴら温泉郷	766-0001	香川県仲多度郡琴平町685-11	0877-75-1000
57	ホテル紫苑	盛岡つなぎ温泉	020-0055	岩手県盛岡市繋字湯の館74-2	019-689-2288
58	ホテルふじ	富士山石和温泉	406-0024	山梨県笛吹市石和町川中島192	055-262-4524
59	西村屋ホテル 招月庭	城崎温泉	669-6101	兵庫県豊岡市城崎町湯島1016-2	0796-32-3535
60	別府温泉 杉乃井ホテル	別府八湯	874-0822	大分県別府市観海寺1	0977-24-1141
61	たちばな四季亭	山代温泉	922-0256	石川県加賀市山代温泉万松園通16	0761-77-0001
62	うぶや	富士河口湖温泉	401-0303	山梨県南都留郡富士河口湖町浅川10	0555-72-1145
63	蔵王四季のホテル	蔵王温泉	990-2301	山形県山形市蔵王温泉1272	023-693-1211
64	ホテル鹿角	大湯温泉	018-5421	秋田県鹿角市十和田大湯字中谷地5-1	0186-30-4111
65	緑霞山宿 藤井荘	山田温泉	382-0816	長野県上高井郡高山村大字奥山田3563	026-242-2711
66	銘石の宿 かげつ	富士山石和温泉	406-0024	山梨県笛吹市石和町川中島385	055-262-4526
67	旅館 花屋	別所温泉	386-1431	長野県上田市別所温泉169	0268-38-3131
68	白樺リゾート 池の平ホテル	白樺温泉	391-0392	長野県茅野市白樺湖	0266-68-2100
69	鶴の湯温泉	乳頭温泉郷	014-1204	秋田県仙北市田沢湖字先達沢国有林50	0187-46-2139
70	淡路インターナショナルホテル ザ・サンプラザ	洲本温泉	656-0023	兵庫県洲本市小路谷1279-13	0799-23-1212
71	グランディア芳泉	あわら温泉	910-4193	福井県あわら市舟津43-26	0776-77-2555
72	夕凪の湯HOTEL 花樹海	花樹海温泉	760-0004	香川県高松市西宝町3-5-10	087-861-5580
73	加賀屋別邸 松乃碧 令和6年能登半島地震被災のため休館中（令和6年7月末現在）	和倉温泉	926-0175	石川県七尾市和倉町ワ部34	0767-62-8000
74	福一	伊香保温泉	377-0193	群馬県渋川市伊香保町伊香保甲8	0279-20-3000
75	SHIROYAMA HOTEL kagoshima	鹿児島市	890-0016	鹿児島県鹿児島市新照院町41-1	099-224-2211
76	依山楼岩崎	三朝温泉	682-0123	鳥取県東伯郡三朝町三朝365	0858-43-0111
77	万座温泉日進舘	万座温泉	377-1528	群馬県吾妻郡嬬恋村干俣万座温泉2401	0279-97-3131
78	登別石水亭	登別温泉	059-0596	北海道登別市登別温泉町203-1	0143-84-2255
79	ホテルニュー水戸屋	秋保温泉	982-0241	宮城県仙台市太白区秋保町湯元薬師１０２	022-398-2301
80	風待ちの湯 福寿荘	磯部わたかの温泉	517-0205	三重県志摩市磯部町渡鹿野517	0599-57-2910
81	あぶらや燈千	湯田中温泉	381-0402	長野県下高井郡山ノ内町佐野2586-5	0269-33-3333
82	湯の杜ホテル志戸平	志戸平温泉	025-0244	岩手県花巻市湯口字志戸平27-1	0198-25-2011
83	富士レークホテル	富士河口湖温泉	401-0300	山梨県南都留郡富士河口湖町船津1	0555-72-2209
84	川端の湯宿 滝亭	金沢犀川温泉	920-1302	石川県金沢市末町23-10	076-229-1122
85	百名伽藍	南城市	901-0603	沖縄県南城市玉城百名山下原1299-1	098-949-1011
86	ホテルくさかベアルメリア	下呂温泉	509-2206	岐阜県下呂市幸田1811	0576-24-2020
87	四万やまぐち館	四万温泉	377-0601	群馬県吾妻郡中之条町四万甲3876-1	0279-64-2011
88	THE KUKUNA	富士河口湖温泉	401-0303	山梨県南都留郡富士河口湖町浅川70	0555-83-3333
89	朝野家	湯村温泉	669-6821	兵庫県美方郡温泉町湯1269	0796-92-1000
90	清流山水花あゆの里	人吉温泉	868-0004	熊本県人吉市九日町30	0966-22-2171
91	游水亭いさごや	湯野浜温泉	997-1201	山形県鶴岡市湯野浜1-8-7	0235-75-2211
92	鳥羽シーサイドホテル	鳥羽市	517-0021	三重県鳥羽市安楽島町1084	0599-25-5151
93	鬼怒川温泉ホテル	鬼怒川温泉	321-2592	栃木県日光市鬼怒川温泉滝545	0288-77-0025
94	道後プリンスホテル	道後温泉	790-0858	愛媛県松山市道後姫塚100	089-947-5111
95	華やぎの章慶山	富士山石和温泉	406-0031	山梨県笛吹市石和町市部822	055-262-2161
96	㐂びの宿 高松	草津温泉	377-1711	群馬県吾妻郡草津町312	0279-88-3011
97	悠の湯 風の季	松倉温泉	025-0244	岩手県花巻市湯口松原36-3	0198-38-1125
98	瑠璃光	山代温泉	922-0295	石川県加賀市山代温泉19-58-1	0761-77-2323
99	如心の里 ひびき野	伊香保温泉	377-0102	群馬県渋川市伊香保町伊香保403-125	0279-72-7022
100	湯沢グランドホテル	越後湯沢温泉	949-6101	新潟県南魚沼郡湯沢町大字湯沢2494	025-784-5050

第49回 プロが選んだ日本のホテル・旅館100選

もてなし部門100選

もてなしや心配り、対応、案内、清潔さなど、宿には必要不可欠な要素を旅のプロが選び抜いた100軒が、ここに紹介している「もてなし部門100選の宿」。もてなしとは形だけのものではなく、心と心の触れ合いを重視し、思い出として残る大切な要素だといえる。栄えある第1位は「加賀屋」が獲得した。

順位	館名	温泉地名	〒	住所	電話番号
1	加賀屋 令和6年能登半島地震被災のため休館中（令和6年7月末現在）	和倉温泉	926-0192	石川県七尾市和倉町ヨ部80	0767-62-1111
2	水明館	下呂温泉	509-2206	岐阜県下呂市幸田1268	0576-25-2800
3	八幡屋	母畑温泉	963-7831	福島県石川郡石川町母畑字樋田７５－１	0247-26-3131
4	ゆのくに天祥	山代温泉	922-0298	石川県加賀市山代温泉19-49-1	0761-77-1234
5	稲取 銀水荘	稲取温泉	413-0411	静岡県賀茂郡東伊豆町稲取1624-1	0557-95-2211
6	指宿白水館	指宿温泉	891-0404	鹿児島県指宿市東方12126-12	0993-22-3131
7	富士山温泉 ホテル鐘山苑	富士山温泉	403-0032	山梨県富士吉田市上吉田東9-1-18	0555-22-3168
8	白玉の湯 泉慶／華鳳	月岡温泉	959-2395	新潟県新発田市月岡温泉453	0254-32-1111
9	佳翠苑 皆美	玉造温泉	699-0201	島根県松江市玉湯町玉造1218-8	0852-62-0331
10	萬国屋	あつみ温泉	999-7204	山形県鶴岡市湯温海丁1	0570-00-8598
11	吉川屋	奥飯坂・穴原温泉	960-0282	福島県福島市飯坂町湯野字新湯6	024-542-2226
12	結びの宿 愛隣館	新鉛温泉	025-0252	岩手県花巻市鉛字西鉛23	0198-25-2619
13	いぶすき秀水園	指宿温泉	891-0406	鹿児島県指宿市湯の浜5-27-27	0993-23-4141
14	常磐ホテル	信玄の湯 湯村温泉	400-0073	山梨県甲府市湯村2-5-21	055-254-3111
15	満ちてくる心の宿 吉夢	小湊温泉	299-5501	千葉県鴨川市小湊182-2	04-7095-2111
16	南三陸ホテル 観洋	南三陸温泉	986-0766	宮城県本吉郡南三陸町黒崎99-17	0226-46-2442
17	あさや	鬼怒川温泉	321-2598	栃木県日光市鬼怒川温泉滝813	0288-77-1111
18	しんわ千季 戸田家	鳥羽温泉郷	517-0011	三重県鳥羽市鳥羽1-24-26	0599-25-2500
19	ホテル花水木	長島温泉	511-1192	三重県桑名市長島町浦安333	0594-45-1111
20	草津白根観光 ホテル櫻井	草津温泉	377-1711	群馬県吾妻郡草津町465-4	0279-88-1111
21	たちばなや	あつみ温泉	999-7204	山形県鶴岡市湯温海丁3	0235-43-2211
22	日本の宿古窯	かみのやま温泉	999-3292	山形県上山市葉山5-20	0570-00-5454
23	風雅の宿長生館	村杉温泉	959-1928	新潟県阿賀野市村杉温泉	0250-66-2111
24	大谷山荘	長門湯本温泉	759-4103	山口県長門市深川湯本2208	0837-25-3221
25	全館源泉掛け流しの宿 慶雲館	西山温泉	409-2702	山梨県南巨摩郡早川町西山温泉	0556-48-2111
26	秀峰閣 湖月	富士河口湖温泉	401-0304	山梨県南都留郡富士河口湖町河口2312	0555-76-8888
27	水が織りなす越後の宿 双葉	越後湯沢温泉	949-6101	新潟県南魚沼郡湯沢町湯沢419	025-784-3357
28	ホテル紫苑	盛岡つなぎ温泉	020-0055	岩手県盛岡市繋字湯の館74-2	019-689-2288
29	あかん遊久の里鶴雅	阿寒湖温泉	085-0467	北海道釧路市阿寒町阿寒湖温泉1丁目4-6-10	0154-67-4000
30	たちばな四季亭	山代温泉	922-0256	石川県加賀市山代温泉万松園通16	0761-77-0001
31	ホテルニューアワジ	洲本温泉	656-0023	兵庫県洲本市小路谷20	0799-22-2522
32	西村屋ホテル招月庭	城崎温泉	669-6101	兵庫県豊岡市城崎町湯島1016-2	0796-32-3535
33	本陣平野屋花兆庵	飛騨高山温泉	506-0011	岐阜県高山市本町1-34	0577-34-1234
34	ホテル小柳	湯田上温泉	959-1502	新潟県南蒲原郡田上町田上乙1322-1	0256-57-5000
35	佳泉郷 井づつや	湯村温泉	669-6821	兵庫県美方郡新温泉町湯1535	0796-92-1111
36	緑霞山宿 藤井荘	山田温泉	382-0816	長野県上高井郡高山村大字奥山田3563	026-242-2711
37	陽日の郷あづま館	岳温泉	964-0074	福島県二本松市岳温泉1-5	0243-24-2211
38	上林ホテル仙壽閣	上林温泉	381-0405	長野県下高井郡山ノ内町上林温泉	0269-33-3551
39	悠の湯 風の季	松倉温泉	025-0244	岩手県花巻市湯口松原36-3	0198-38-1125
40	皆生つるや	皆生温泉	683-0001	鳥取県米子市皆生温泉2-5-1	0859-22-6181
41	香雲館	伊香保温泉	377-0102	群馬県渋川市伊香保町伊香保175	0279-72-5501
42	堂ヶ島 ニュー銀水	堂ヶ島温泉	410-3514	静岡県賀茂郡西伊豆町仁科2977-1	0558-52-2211
43	ホテル鹿角	大湯温泉	018-5421	秋田県鹿角市十和田大湯字中谷地5-1	0186-30-4111
44	旅館 花屋	別所温泉	386-1431	長野県上田市別所温泉169	0268-38-3131
45	お花見久兵衛	山中温泉	922-0127	石川県加賀市山中温泉下谷町ニ138-1	0761-78-1301

順位	館名	温泉地名	〒	住所	電話番号
46	ほほえみの宿滝の湯	天童温泉	994-0025	山形県天童市鎌田本町1-1-30	023-654-2211
47	萬象閣敷島	嬉野温泉	843-0304	佐賀県嬉野市嬉野町岩屋川内甲114-1	0954-43-3135
48	一番湯の宿 ホテル木暮	伊香保温泉	377-0102	群馬県渋川市伊香保町伊香保135	0279-72-2701
49	うぶや	富士河口湖温泉	401-0303	山梨県南都留郡富士河口湖町浅川10	0555-72-1145
50	あぶらや燈千	湯田中温泉	381-0402	長野県下高井郡山ノ内町佐野2586-5	0269-33-3333
51	里山の別邸 下田セントラルホテル	伊豆の下田相玉温泉	413-0711	静岡県下田市相玉133-1	0558-28-1126
52	延楽	宇奈月温泉	938-0282	富山県黒部市宇奈月温泉347-1	0765-62-1211
53	七草の湯	別所温泉	386-1431	長野県上田市別所温泉１６２１	0268-38-2323
54	花の宿松や	鬼怒川温泉	321-2521	栃木県日光市鬼怒川温泉藤原19	0288-77-1221
55	ゆもとや	岩室温泉	953-0104	新潟県新潟市岩室温泉91-1	0256-82-2015
56	KAMEYA HOTEL	湯野浜温泉	997-1201	山形県鶴岡市湯野浜1-5-50	0235-75-2301
57	三陸花ホテルはまぎく	浪板海岸	028-1101	岩手県上閉伊郡大槌町浪板海岸	0193-44-2111
58	四季彩一力	磐梯熱海温泉	963-1309	福島県郡山市熱海町熱海4-161	024-984-2115
59	大和屋本店	道後温泉	790-0842	愛媛県松山市道後湯之町20-8	089-935-8880
60	仙渓園 月岡ホテル	かみのやま温泉	999-3141	山形県上山市新湯1-33	023-672-1212
61	東園	雲仙温泉	854-0621	長崎県雲仙市小浜町雲仙181	0957-73-2588
62	京近江	おごと温泉	520-0101	滋賀県大津市雄琴6-5-1	077-577-2211
63	柳生の庄	修善寺温泉	410-2416	静岡県伊豆市修善寺1116-6	0588-72-4126
64	焼津グランドホテル	焼津黒潮温泉	425-0012	静岡県焼津市浜当目大崩海岸通り	054-627-7774
65	稲取東海ホテル湯苑	稲取温泉	413-0411	静岡県賀茂郡東伊豆町稲取1599-1	0557-95-2121
66	景勝館漣亭	鞆の浦温泉	720-0201	広島県福山市鞆町鞆421	084-382-2121
67	八乙女	由良温泉	999-7464	山形県鶴岡市由良3-16-31	0235-73-3811
68	おおみや旅館	蔵王温泉	990-2301	山形県山形市蔵王温泉46	023-694-2112
69	源蔵の湯 鳴子観光ホテル	鳴子温泉	989-6823	宮城県大崎市鳴子町字湯元41	0229-83-2333
70	強羅花壇	強羅温泉	250-0408	神奈川県足柄下郡箱根町強羅1300	0460-82-3334
71	篝火の湯緑水亭	秋保温泉	982-0241	宮城県仙台市太白区秋保町湯元上原27	022-397-3333
72	百名伽藍	南城市	901-0603	沖縄県南城市玉城百名山下原1299-1	098-949-1011
73	四万やまぐち館	四万温泉	377-0601	群馬県吾妻郡中之条町四万甲3876-1	0279-64-2011
74	ABBA RESORTS IZU ー坐漁荘	浮山温泉郷	413-0232	静岡県伊東市八幡野1741-42	0557-53-1170
75	瑞の里〇久旅館	修善寺温泉	410-2416	静岡県伊豆市修善寺1146	0558-72-0260
76	一茶のこみち美湯の宿	湯田中温泉	381-0401	長野県下高井郡山ノ内町湯田中	0269-33-4126
77	飲泉・自家源泉かけ流しの秘湯 観音温泉	観音温泉	413-0712	静岡県下田市横川1092-1	0558-28-1234
78	㐬びの宿 高松	草津温泉	377-1711	群馬県吾妻郡草津町312	0279-88-3011
79	月の栖熱海聚楽ホテル	熱海温泉	413-0011	静岡県熱海市田原本町2-19	0557-81-5181
80	深山荘 高見屋	蔵王温泉	990-2301	山形県山形市蔵王温泉54	023-694-9333
81	下部ホテル	下部温泉	409-2947	山梨県南巨摩郡身延町下部温泉	0556-36-0311
82	十勝川温泉第一ホテル 豊洲亭・豆陽亭	十勝川温泉	080-0263	北海道河東郡音更町十勝川温泉南12-1	0155-46-2231
83	萩の宿常茂恵	萩温泉郷	758-0025	山口県萩市土原弘法寺608-53	0838-22-0150
84	ホテルやまぶき	早太郎温泉	399-4117	長野県駒ヶ根市赤穂497-1497	0265-83-3870
85	白石家	玉造温泉	699-0201	島根県松江市玉湯町玉造44-2	0852-62-0521
86	法師温泉 長寿館	法師温泉	379-1401	群馬県利根郡みなかみ町永井650	0278-66-0005
87	清流山水花あゆの里	人吉温泉	868-0004	熊本県人吉市九日町30	0966-22-2171
88	ホテル花月園	箱根仙石原温泉	250-0631	神奈川県足柄下郡箱根町仙石原1244-2	0460-84-8621
89	八景	湯原温泉	717-0406	岡山県真庭市豊栄1572	0867-62-2211
90	仙峡の宿銀山荘	銀山温泉	999-4333	山形県尾花沢市銀山新畑85	0237-28-2322
91	上杉の御湯御殿守	赤湯温泉	999-2211	山形県南陽市赤湯９８９番地	0238-40-2611
92	指宿シーサイドホテル	指宿温泉	891-0402	鹿児島県指宿市十町浜畑海岸1912	0993-23-3111
93	ランプの宿 青荷温泉	青荷温泉	036-0402	青森県黒石市大字沖浦字青荷沢滝ノ上1-7	0172-54-6588
94	浜辺の湯・浪漫の歌 宿 中屋	小湊温泉	299-5503	千葉県鴨川市天津3287	04-7094-1111
95	名栗温泉 大松閣	名栗温泉	357-0112	埼玉県飯能市大字下名栗917	042-979-0505
96	ホテルエピナール那須	那須温泉	325-0302	栃木県那須郡那須町大字高久丙1	0287-78-6000
97	旅荘 海の蝶	伊勢市	519-0601	三重県伊勢市二見町松下1693-1	0596-44-1050
98	玉屋旅館	別所温泉	386-1431	長野県上田市別所温泉227	0268-38-3015
99	奥州秋保温泉 蘭亭	秋保温泉	982-0241	宮城県仙台市太白区秋保町湯元字木戸保7-1	022-397-1515
100	登別温泉郷 滝乃家	登別温泉	059-0551	北海道登別市登別温泉町162	0143-84-2222

第49回 プロが選んだ日本のホテル・旅館100選

料理部門100選

献立や配膳(料理の出し方)、味付け、料理の質や量など、料理をキーワードに旅のプロが選んだ100軒がここに紹介する「料理部門100選の宿」。つまり、宿は味で選ぶという人にとっては、まさに好みの宿選びのバイブルとなることだろう。今年の栄えある第1位は「いぶすき秀水園」だった。

順位	館名	温泉地名	〒	住所	電話番号
1	いぶすき秀水園	指宿温泉	891-0406	鹿児島県指宿市湯の浜5-27-27	0993-23-4141
2	加賀屋 令和6年能登半島地震被災のため休館中(令和6年7月末現在)	和倉温泉	926-0192	石川県七尾市和倉町ヨ部80	0767-62-1111
3	水明館	下呂温泉	509-2206	岐阜県下呂市幸田1268	0576-25-2800
4	八幡屋	母畑温泉	963-7831	福島県石川郡石川町母畑字樋田75-1	0247-26-3131
5	稲取 銀水荘	稲取温泉	413-0411	静岡県賀茂郡東伊豆町稲取1624-1	0557-95-2211
6	白玉の湯 泉慶/華鳳	月岡温泉	959-2395	新潟県新発田市月岡温泉453	0254-32-1111
7	指宿白水館	指宿温泉	891-0404	鹿児島県指宿市東方12126-12	0993-22-3131
8	結びの宿 愛隣館	新鉛温泉	025-0252	岩手県花巻市鉛字西鉛23	0198-25-2619
9	吉川屋	奥飯坂・穴原温泉	960-0282	福島県福島市飯坂町湯野字新湯6	024-542-2226
10	富士山温泉 ホテル鐘山苑	富士山温泉	403-0032	山梨県富士吉田市上吉田東9-1-18	0555-22-3168
11	たちばなや	あつみ温泉	999-7204	山形県鶴岡市湯温海丁3	0235-43-2211
12	草津白根観光 ホテル櫻井	草津温泉	377-1711	群馬県吾妻郡草津町465-4	0279-88-1111
13	常磐ホテル	信玄の湯 湯村温泉	400-0073	山梨県甲府市湯村2-5-21	055-254-3111
14	ゆのくに天祥	山代温泉	922-0298	石川県加賀市山代温泉19-49-1	0761-77-1234
15	萬国屋	あつみ温泉	999-7204	山形県鶴岡市湯温海丁1	0570-00-8598
16	水が織りなす越後の宿 双葉	越後湯沢温泉	949-6101	新潟県南魚沼郡湯沢町湯沢419	025-784-3357
17	南三陸ホテル 観洋	南三陸温泉	986-0766	宮城県本吉郡南三陸町黒崎99-17	0226-46-2442
18	佳泉郷 井づつや	湯村温泉	669-6821	兵庫県美方郡新温泉町湯1535	0796-92-1111
19	あかん遊久の里鶴雅	阿寒湖温泉	085-0467	北海道釧路市阿寒町阿寒湖温泉1丁目4-6-10	0154-67-4000
20	しんわ千季 戸田家	鳥羽温泉郷	517-0011	三重県鳥羽市鳥羽1-24-26	0599-25-2500
21	扉温泉 明神館	扉温泉	390-0222	長野県松本市入山辺8967	0263-31-2301
22	湯元こんぴら温泉華の湯 紅梅亭	こんぴら温泉郷	766-0001	香川県仲多度郡琴平町556-1	0877-75-1111
23	日本の宿古窯	かみのやま温泉	999-3292	山形県上山市葉山5-20	0570-00-5454
24	源泉湯の宿 松乃井	水上温泉	379-1617	群馬県利根郡みなかみ町湯原551	0278-72-3200
25	八乙女	由良温泉	999-7464	山形県鶴岡市由良3-16-31	0235-73-3811
26	佳翠苑 皆美	玉造温泉	699-0201	島根県松江市玉湯町玉造1218-8	0852-62-0331
27	日光千姫物語	日光温泉	321-1432	栃木県日光市安川町6-48	0288-54-1010
28	若草の宿 丸栄	富士河口湖温泉	401-0302	山梨県南都留郡富士河口湖町小立498	0555-72-1371
29	蔵王四季のホテル	蔵王温泉	990-2301	山形県山形市蔵王温泉1272	023-693-1211
30	大谷山荘	長門湯本温泉	759-4103	山口県長門市深川湯本2208	0837-25-3221
31	鬼怒川グランドホテル 夢の季	鬼怒川温泉	321-2522	栃木県日光市鬼怒川温泉大原1021	0288-77-1313
32	満ちてくる心の宿 吉夢	小湊温泉	299-5501	千葉県鴨川市小湊182-2	04-7095-2111
33	豆富懐石猿ヶ京ホテル	猿ヶ京温泉	379-1403	群馬県利根郡新治村猿ヶ京1171	0278-66-1101
34	ホテル華の湯	磐梯熱海温泉	963-1387	福島県郡山市熱海町熱海5-8-60	024-984-2222
35	琴平グランドホテル 桜の抄	こんぴら温泉郷	766-0001	香川県仲多度郡琴平町琴平町977-1	0877-75-3218
36	四季の宿みのや	弥彦温泉	959-0323	新潟県西蒲原郡弥彦村弥彦2927-1	0256-94-2010
37	全館源泉掛け流しの宿 慶雲館	西山温泉	409-2702	山梨県南巨摩郡早川町西山温泉	0556-48-2111
38	ゆけむりの宿 美湾荘 令和6年能登半島地震被災のため休館中(令和6年7月末現在)	和倉温泉	926-0175	石川県七尾市和倉町和歌崎3-1	0767-62-2323
39	あさや	鬼怒川温泉	321-2598	栃木県日光市鬼怒川温泉滝813	0288-77-1111
40	ホテル鷗風亭	鞆の浦温泉	720-0201	広島県福山市鞆町鞆136	084-982-1123
41	福一	伊香保温泉	377-0193	群馬県渋川市伊香保町伊香保甲8	0279-20-3000
42	厨八十八	山中温泉	922-0139	石川県加賀市山中温泉菅谷町ロ62	0761-78-8080
43	朝野家	湯村温泉	669-6821	兵庫県美方郡温泉町湯1269	0796-92-1000
44	游水亭いさごや	湯野浜温泉	997-1201	山形県鶴岡市湯野浜1-8-7	0235-75-2211
45	延対寺荘	宇奈月温泉	938-0282	富山県黒部市宇奈月温泉53	0765-62-1234

順位	館名	温泉地名	〒	住所	電話番号
46	銘石の宿 かげつ	富士山石和温泉	406-0024	山梨県笛吹市石和町川中島385	055-262-4526
47	べっぷの宿 ホテル白菊	別府八湯	874-0908	大分県別府市上田の湯町16-36	0977-21-2111
48	布半	上諏訪温泉	392-0027	長野県諏訪市湖岸通り3-2-9	0266-52-5500
49	大洗ホテル	大洗海岸	311-1301	茨城県東茨城郡大洗町磯浜町6881	029-267-2151
50	赤倉ホテル	赤倉温泉	949-2111	新潟県妙高市赤倉486	0255-87-2001
51	ホテル森の風鶯宿	鶯宿温泉	020-0574	岩手県岩手郡雫石町鶯宿10-64-1	0120-489-166
52	五浦観光ホテル 和風の宿本館／別館大観荘	五浦温泉	319-1703	茨城県北茨城市大津町722	0293-46-1111
53	湯郷グランドホテル	湯郷温泉	707-0062	岡山県美作市湯郷温泉581-2	0868-72-0395
54	美湯美食の離れ宿 河鹿荘	小野川温泉	992-0076	山形県米沢市小野川町2070	0238-32-2221
55	伝承千年の宿佐勘	秋保温泉	982-0241	宮城県仙台市太白区秋保町湯元薬師２８	022-398-2233
56	ホテル松島大観荘	松島海岸	981-0213	宮城県宮城郡松島町松島字犬田10-76	022-354-2161
57	松島一の坊	太古天泉松島温泉	981-0215	宮城県宮城郡松島町高城字浜1-4	022-353-3333
58	有馬グランドホテル	有馬温泉	651-1401	兵庫県神戸市北区有馬町1304-1	078-904-0181
59	湯沢グランドホテル	越後湯沢温泉	949-6101	新潟県南魚沼郡湯沢町大字湯沢2494	025-784-5050
60	強羅花扇	強羅温泉	250-0408	神奈川県足柄下郡箱根町強羅1300-681	0460-87-7715
61	川端の湯宿 滝亭	金沢犀川温泉	920-1302	石川県金沢市末町23-10	076-229-1122
62	ホテル河鹿荘	箱根湯本温泉	250-0311	神奈川県足柄下郡箱根町湯本688	0460-85-5561
63	しこつ湖鶴雅リゾートスパ水の謌	支笏湖温泉	066-0281	北海道千歳市支笏湖温泉	0123-25-2211
64	知床第一ホテル	ウトロ温泉	099-4351	北海道斜里郡斜里町ウトロ温泉	01522-4-2334
65	清次郎の湯 ゆのごう館	湯郷温泉	707-0062	岡山県美作市湯郷906-1	0868-72-1126
66	ホテル清風館	大崎上島きのえ温泉	725-0402	広島県豊田郡大崎上島町沖浦1900	0846-62-0555
67	結いの宿 別邸 つばき	男鹿温泉	101-0687	秋田県男鹿市北浦湯本中里81	0185-33-2151
68	名湯の宿鳴子ホテル	鳴子温泉	989-6823	宮城県大崎市鳴子温泉字湯元36	0229-83-2001
69	上高地ルミエスタホテル	上高地	390-1516	長野県松本市安曇4469番地1	0263-95-2121
70	鳥羽国際ホテル	鳥羽市	517-0011	三重県鳥羽市鳥羽1-23-1	0599-26-4121
71	奈良屋	草津温泉	377-1711	群馬県吾妻郡草津町草津396	0279-88-2311
72	小松館 好風亭	太古天泉松島温泉	981-0213	宮城県宮城郡松島町松島字仙随35-2	022-354-5065
73	土佐御苑	高知市	780-0052	高知県高知市大川筋1-4-8	088-822-4491
74	ザレイクビュー TOYA 乃の風リゾート	洞爺湖温泉	049-5721	北海道虻田郡洞爺湖町洞爺湖温泉29-1	0142-75-2600
75	昼神の棲 玄竹	昼神温泉	395-0304	長野県下伊那郡阿智村智里331-8	0265-43-5111
76	びわこ緑水亭	おごと温泉	520-0101	滋賀県大津市雄琴6-1-6	077-577-2222
77	季一遊	弓ヶ浜温泉	415-0152	静岡県賀茂郡南伊豆町弓ヶ浜温泉	0558-62-5151
78	蛍雪の宿 尚文	水上温泉	379-1725	群馬県利根郡みなかみ町綱子277	0278-72-2466
79	八ツ三館	飛騨市	509-4241	岐阜県飛騨市古川町向町1-8-27	0577-73-2121
80	天地の宿 奥の細道	有馬温泉	651-1401	兵庫県神戸市北区有馬町字大屋敷1683-2	078-907-3555
81	浪漫の館 月下美人	天竜下條温泉	399-2101	長野県下伊那郡下條村睦沢4286-1	0260-27-1008
82	みなかみホテルジュラク	水上温泉	379-1617	群馬県利根郡みなかみ町湯原665	0278-72-2521
83	熱塩温泉 山形屋	熱塩温泉	966-0101	福島県喜多方市熱塩加納町熱塩字北平田甲347-2	0241-36-2288
84	おもてなしの宿 渓山閣	湯の花温泉	621-0033	京都府亀岡市稗田野町佐伯下峠20-6	0771-22-0250
85	浜の湯	上諏訪温泉	392-0027	長野県諏訪市湖岸通り3-3-10	0266-58-8000
86	森の栖リゾート＆スパ	山代温泉	922-0242	石川県加賀市山代温泉14-27	0761-77-0150
87	ふもと旅館	黒川温泉	869-2402	熊本県阿蘇郡南小国町満願寺6697	0967-44-0918
88	定山渓鶴雅リゾートスパ森の謌	定山渓温泉	061-2302	北海道札幌市南区定山渓温泉東3-192	011-898-2671
89	ONSEN RYOKAN 山喜	那須板室温泉	325-0111	栃木県那須塩原市板室844-10	0287-69-0214
90	宿守屋寿苑 令和6年能登半島地震被災のため 休館中（令和6年7月末現在）	和倉温泉	926-0176	石川県七尾市和倉ひばり2-52	0767-62-3322
91	つえたて温泉ひぜんや	杖立温泉	869-2503	熊本県阿蘇郡小国町下城4223	0967-48-0141
92	祝い宿 寿庵	川治温泉	321-2611	栃木県日光市川治温泉川治52	0288-78-1101
93	あてま高原リゾート ベルナティオ	あてま温泉	949-8556	新潟県十日町市珠川	025-758-4888
94	Mt. Resort 雲仙九州ホテル	雲仙温泉	854-0697	長崎県雲仙市小浜町雲仙320	0957-73-3234
95	料理宿正平荘	伊豆長岡温泉	410-2201	静岡県伊豆の国市古奈256-1	055-948-1304
96	大江戸温泉物語Premium 汐美荘	瀬波温泉	958-0037	新潟県村上市瀬波温泉2-9-36	0254-53-4288
97	吉泉館竹翠亭	下呂温泉	509-2206	岐阜県下呂市幸田湯本1098	0576-25-3327
98	角館山荘 侘桜	奥角館温泉	014-0515	秋田県仙北市西木町門屋字笹山2-8	0187-47-3511
99	たてやま温泉千里の風	館山温泉郷	294-0224	千葉県館山市藤原1495-1	0470-28-2211
100	ル・ヴァンベール 湖郷	猿ヶ京温泉	379-1404	群馬県利根郡みなかみ町相俣1731	0278-66-0880

第49回 プロが選んだ日本のホテル・旅館100選

施設部門100選

設備や機能などのハード面（客室、風呂、宴会場など）を重点に、安全性と快適性を加味して選ばれたのが「施設部門100選の宿」。旅先で過ごす時間の大部分は宿の中。つまり、宿が快適か否かは、旅の善し悪しを決める重要な要素となる。第1位は「水明館」が獲得した。

順位	館名	温泉地名	〒	住所	電話番号
1	水明館	下呂温泉	509-2206	岐阜県下呂市幸田1268	0576-25-2800
2	加賀屋 令和6年能登半島地震被災のため休館中（令和6年7月末現在）	和倉温泉	926-0192	石川県七尾市和倉町ヨ部80	0767-62-1111
3	八幡屋	母畑温泉	963-7831	福島県石川郡石川町母畑字樋田７５－１	0247-26‐3131
4	白玉の湯 泉慶／華鳳	月岡温泉	959-2395	新潟県新発田市月岡温泉453	0254-32-1111
5	ゆのくに天祥	山代温泉	922-0298	石川県加賀市山代温泉19-49-1	0761-77-1234
6	指宿白水館	指宿温泉	891-0404	鹿児島県指宿市東方12126-12	0993-22-3131
7	大谷山荘	長門湯本温泉	759-4103	山口県長門市深川湯本2208	0837-25-3221
8	富士山温泉 ホテル鐘山苑	富士山温泉	403-0032	山梨県富士吉田市上吉田東9-1-18	0555-22-3168
9	南三陸ホテル 観洋	南三陸温泉	986-0766	宮城県本吉郡南三陸町黒崎99-17	0226-46-2442
10	あかん遊久の里鶴雅	阿寒湖温泉	085-0467	北海道釧路市阿寒町阿寒湖温泉1丁目4-6-10	0154-67-4000
11	日本の宿古窯	かみのやま温泉	999-3292	山形県上山市葉山5-20	0570-00-5454
12	草津白根観光 ホテル櫻井	草津温泉	377-1711	群馬県吾妻郡草津町465-4	0279-88-1111
13	結びの宿 愛隣館	新鉛温泉	025-0252	岩手県花巻市鉛字西鉛23	0198-25-2619
14	稲取 銀水荘	稲取温泉	413-0411	静岡県賀茂郡東伊豆町稲取1624-1	0557-95-2211
15	たちばなや	あつみ温泉	999-7204	山形県鶴岡市湯温海丁3	0235-43-2211
16	水が織りなす越後の宿 双葉	越後湯沢温泉	949-6101	新潟県南魚沼郡湯沢町湯沢419	025-784-3357
17	常磐ホテル	信玄の湯 湯村温泉	400-0073	山梨県甲府市湯村2-5-21	055-254-3111
18	あさや	鬼怒川温泉	321-2598	栃木県日光市鬼怒川温泉滝813	0288-77-1111
19	佳翠苑 皆美	玉造温泉	699-0201	島根県松江市玉湯町玉造1218-8	0852-62-0331
20	いぶすき秀水園	指宿温泉	891-0406	鹿児島県指宿市湯の浜5-27-27	0993-23-4141
21	萬国屋	あつみ温泉	999-7204	山形県鶴岡市湯温海丁1	0570-00-8598
22	吉川屋	奥飯坂・穴原温泉	960-0282	福島県福島市飯坂町湯野字新湯6	024-542-2226
23	佳泉郷 井づつや	湯村温泉	669-6821	兵庫県美方郡新温泉町湯1535	0796-92-1111
24	美ヶ原温泉 翔峰	美ヶ原温泉	390-0221	長野県松本市里山辺527	0263-38-7755
25	飲泉・自家源泉かけ流しの秘湯 観音温泉	観音温泉	413-0712	静岡県下田市横川1092-1	0558-28-1234
26	華水亭	皆生温泉	683-0001	鳥取県米子市皆生温泉4-19-10	0859-33-0001
27	ホテル華の湯	磐梯熱海温泉	963-1387	福島県郡山市熱海町熱海5-8-60	024-984-2222
28	ホテル森の風鶯宿	鶯宿温泉	020-0574	岩手県岩手郡雫石町鶯宿10-64-1	0120-489-166
29	ホテル花水木	長島温泉	511-1192	三重県桑名市長島町浦安333	0594-45-1111
30	ホテル清風苑	月岡温泉	959-2397	新潟県新発田市大字月岡278-2	0254-32-2000
31	里山の別邸 下田セントラルホテル	伊豆の下田相玉温泉	413-0711	静岡県下田市相玉133-1	0558-28-1126
32	茶寮の宿 あえの風 令和6年能登半島地震被災のため休館中（令和6年7月末現在）	和倉温泉	926-0192	石川県七尾市和倉町和歌崎8-1	0767-62-3333
33	蔵王国際ホテル	蔵王温泉	990-2301	山形県山形市蔵王温泉933	023-694-2111
34	ホテル金波楼	日和山温泉	669-6192	兵庫県豊岡市瀬戸1090	0796-28-2111
35	一番湯の宿 ホテル木暮	伊香保温泉	377-0102	群馬県渋川市伊香保町伊香保135	0279-72-2701
36	鳥羽シーサイドホテル	鳥羽市	517-0021	三重県鳥羽市安楽島町1084	0599-25-5151
37	日本の宿 のと楽 令和6年能登半島地震被災のため休館中（令和6年7月末現在）	和倉温泉	926-0178	石川県七尾市石崎町香島1-14	0767-62-3131
38	城西館	高知市	780-0901	高知市上町２丁目５－３４	088-875-0111
39	北こぶし 知床 ホテル＆リゾート	ウトロ温泉	099-4355	北海道斜里郡斜里町ウトロ東172	01522-4-3222
40	大川荘	芦ノ牧温泉	969-5147	福島県会津若松市大戸町大字芦ノ牧字下平984	0242-92-2111
41	別府温泉杉乃井ホテル	別府八湯	874-0822	大分県別府市観海寺1	0977-24-1141
42	全館源泉掛け流しの宿 慶雲館	西山温泉	409-2702	山梨県南巨摩郡早川町西山温泉	0556-48-2111
43	鷹泉閣岩松旅館	作並温泉	989-3431	宮城県仙台市青葉区作並字元木16	022-395-2211
44	第一滝本館	登別温泉	059-0595	北海道登別市登別温泉町５５	0143-84-2111
45	サン浦島 悠季の里	本浦温泉	517-0025	三重県鳥羽市本浦温泉	0599-32-6111

順位	館名	温泉地名	〒	住所	電話番号
46	依山楼岩崎	三朝温泉	682-0123	鳥取県東伯郡三朝町三朝365	0858-43-0111
47	皆生グランドホテル天水	皆生温泉	683-0001	鳥取県米子市皆生温泉4-18-45	0859-33-3531
48	夕凪の湯HOTEL花樹海	花樹海温泉	760-0004	香川県高松市西宝町3-5-10	087-861-5580
49	鶴の湯温泉	乳頭温泉郷	014-1204	秋田県仙北市田沢湖字先達沢国有林50	0187-46-2139
50	風待ちの湯 福寿荘	磯部わたかの温泉	517-0205	三重県志摩市磯部町渡鹿野517	0599-57-2910
51	水織音の宿 山水荘	土湯温泉	960-2157	福島県福島市土湯温泉町字油畑55	024-595-2141
52	別邸 仙寿庵	水上温泉郷 谷川温泉	379-1619	群馬県利根郡みなかみ町谷川614	0278-20-4141
53	まつや千千	あわら温泉	910-4196	福井県あわら市舟津31-24	0776-77-2560
54	グランディア芳泉	あわら温泉	910-4193	福井県あわら市舟津43-26	0776-77-2555
55	ひだホテルプラザ	飛騨高山温泉	506-0009	岐阜県高山市花岡町2-60	0577-33-4600
56	THE KUKUNA	富士河口湖温泉	401-0303	山梨県南都留郡富士河口湖町浅川70	0555-83-3333
57	淡路インターナショナルホテル ザ・サンプラザ	洲本温泉	656-0023	兵庫県洲本市小路谷1279-13	0799-23-1212
58	富士レークホテル	富士河口湖温泉	401-0300	山梨県南都留郡富士河口湖町船津1	0555-72-2209
59	海一望絶景の宿いなとり荘	稲取温泉	413-0411	静岡県賀茂郡東伊豆町稲取1531	0557-95-1234
60	強羅花扇 円かの杜	強羅温泉	250-0408	神奈川県足柄下郡箱根町強羅1320-862	0460-82-4100
61	湯の杜ホテル志戸平	志戸平温泉	025-0244	岩手県花巻市湯口字志戸平27-1	0198-25-2011
62	松園荘保津川亭	湯の花温泉	621-0034	京都府亀岡市ひえ田野町芦ノ山流田1-4	0771-22-0903
63	旬景浪漫銀波荘	西浦温泉	443-0105	愛知県蒲郡市西浦町大山25	0533-57-3101
64	SHIROYAMA HOTEL kagoshima	鹿児島市	890-0016	鹿児島県鹿児島市新照院町41-1	099-224-2211
65	果実の山 あづま屋	かみのやま温泉	999-3141	山形県上山市新湯1-23	023-672-2222
66	望雲	草津温泉	377-1711	群馬県吾妻郡草津町草津433-1	0279-88-3251
67	ホテル竹島	蒲郡温泉	443-0031	愛知県蒲郡市竹島町1-6	0533-69-1256
68	賢島宝生苑	伊勢志摩温泉	517-0593	三重県志摩市阿児町神明718-3	0599-43-3111
69	悠久四季の宿 九重悠々亭	筋湯温泉	879-4912	大分県玖珠郡九重町筋湯温泉	0973-79-2231
70	鴨川館	鴨川温泉郷	296-0043	千葉県鴨川市西町1179	04-7093-4111
71	道後プリンスホテル	道後温泉	790-0858	愛媛県松山市道後姫塚100	089-947-5111
72	龍宮城スパホテル三日月	木更津温泉	292-0006	千葉県木更津市北浜町1	0438-41-8111
73	金太郎温泉	金太郎温泉	937-0013	富山県魚津市天神野新6000番地	0765-24-1220
74	指宿海上ホテル	指宿温泉	891-0403	鹿児島県指宿市十二町3750	0993-22-2221
75	日光きぬ川スパホテル三日月	鬼怒川温泉	321-2522	栃木県日光市鬼怒川温泉大原1400	0288-77-2611
76	ホテル紅や	上諏訪温泉	392-8577	長野県諏訪市湖岸通2-7-21	0266-57-1111
77	源泉湯の宿 千の谷	猿ヶ京温泉	379-1404	群馬県利根郡みなかみ町相俣248	0278-66-1151
78	ゆ湯の宿 白山菖蒲亭	山代温泉	922-0257	石川県加賀市山代温泉桔梗丘4-34-1	0761-77-0335
79	ホテル森の風立山	あわすの温泉	930-1454	富山県富山市原3-6	076-481-1126
80	ことひら温泉 琴参閣	こんぴら温泉郷	766-0001	香川県仲多度郡琴平町685-11	0877-75-1000
81	昼神グランドホテル天心	昼神温泉	395-0304	長野県下伊那郡阿智村智里331-5	0265-43-3434
82	大観荘せなみの湯	瀬波温泉	958-0037	新潟県村上市瀬波温泉22-10-24	0254-53-2131
83	和の宿ホテル祖谷温泉	大歩危祖谷温泉郷	778-0165	徳島県三好市池田町松本367-2	0883-75-2311
84	かやぶきの源泉湯宿 悠湯里庵	川場温泉	378-0102	群馬県利根郡川場村川場湯原451-1	0278-50-1500
85	ホテル森の風那須	那須温泉	325-0302	栃木県那須郡那須町高久丙1179-2	0287-73-5572
86	如心の里 ひびき野	伊香保温泉	377-0102	群馬県渋川市伊香保町伊香保403-125	0279-72-7022
87	十八楼	長良川温泉	500-8009	岐阜県岐阜市湊町10番地	058-265-1551
88	つるや	あわら温泉	910-4104	福井県あわら市温泉4-601	0776-77-2001
89	旬彩の宿 緑水亭	小湊温泉	299-5502	千葉県鴨川市内浦1385	04-7095-3030
90	佳松園	花巻温泉	025-0304	岩手県花巻市湯本1-125-2	0198-378-2111
91	茶寮宗園	秋保温泉	982-0241	宮城県仙台市太白区秋保町湯元字釜土東1	022-398-2311
92	ホテル四季の館那須	那須温泉	325-0302	栃木県那須郡那須町高久丙1179-2	0120-743-177
93	ホテルアンビア松風閣	焼津黒潮温泉	425-0012	静岡県焼津市浜当目海岸通り星が丘	054-628-3131
94	奥日田温泉 うめひびき	奥日田温泉	877-0201	大分県日田市大山町西大山4587	0973-52-3700
95	佳雲・月夜のうさぎ	出雲市	699-0721	島根県出雲市大社町修理免字本郷1443-1	0853-53-8877
96	暖灯館きくのや	おごと温泉	520-0101	滋賀県大津市雄琴6-1-29	077-578-1281
97	光風湯圃 べにや	あわら温泉	910-4104	福井県あわら市温泉4-510	0776-77-2333
98	しょうげつ	下呂温泉	509-2206	岐阜県下呂市幸田1113	0576-25-7611
99	望湖楼	はわい温泉	682-0715	鳥取県東伯郡湯梨浜町はわい温泉4-25	0858-35-2221
100	ホテル四季の館箱根芦ノ湖	芦ノ湖温泉	250-0522	神奈川県足柄下郡箱根町元箱根103-241	0120-489-166

第49回 プロが選んだ日本のホテル・旅館100選

企画部門100選

旅館の特徴づくりと、総合的な演出、さらには企画商品、商品開発などを基準に選ばれたのが「企画部門100選の宿」。宿はオリジナリティも非常に大切な要素。個性的な宿は、旅心をくすぐり、心を豊かにしてくれる。栄えある第1位は「加賀屋」。ほかの部門でも上位にランクされる宿だ。

順位	館名	温泉地名	〒	住所	電話番号
1	加賀屋 令和6年能登半島地震被災のため休館中（令和6年7月末現在）	和倉温泉	926-0192	石川県七尾市和倉町ヨ部80	0767-62-1111
2	八幡屋	母畑温泉	963-7831	福島県石川郡石川町母畑字樋田75-1	0247-26-3131
3	水明館	下呂温泉	509-2206	岐阜県下呂市幸田1268	0576-25-2800
4	白玉の湯 泉慶／華鳳	月岡温泉	959-2395	新潟県新発田市月岡温泉453	0254-32-1111
5	ゆのくに天祥	山代温泉	922-0298	石川県加賀市山代温泉19-49-1	0761-77-1234
6	稲取 銀水荘	稲取温泉	413-0411	静岡県賀茂郡東伊豆町稲取1624-1	0557-95-2211
7	結びの宿 愛隣館	新鉛温泉	025-0252	岩手県花巻市鉛字西鉛23	0198-25-2619
8	萬国屋	あつみ温泉	999-7204	山形県鶴岡市湯温海丁1	0570-00-8598
9	富士山温泉 ホテル鐘山苑	富士山温泉	403-0032	山梨県富士吉田市上吉田東9-1-18	0555-22-3168
10	日本の宿古窯	かみのやま温泉	999-3292	山形県上山市葉山5-20	0570-00-5454
11	草津白根観光 ホテル櫻井	草津温泉	377-1711	群馬県吾妻郡草津町465-4	0279-88-1111
12	指宿白水館	指宿温泉	891-0404	鹿児島県指宿市東方12126-12	0993-22-3131
13	いぶすき秀水園	指宿温泉	891-0406	鹿児島県指宿市湯の浜5-27-27	0993-23-4141
14	常磐ホテル	信玄の湯 湯村温泉	400-0073	山梨県甲府市湯村2-5-21	055-254-3111
15	ホテル華の湯	磐梯熱海温泉	963-1387	福島県郡山市熱海町熱海5-8-60	024-984-2222
16	吉川屋	奥飯坂・穴原温泉	960-0282	福島県福島市飯坂町湯野字新湯6	024-542-2226
17	庄助の宿 瀧の湯	東山温泉	965-0814	福島県会津若松市東山温泉108	0242-29-1000
18	南三陸ホテル 観洋	南三陸温泉	986-0766	宮城県本吉郡南三陸町黒崎99-17	0226-46-2442
19	舌切雀のお宿 ホテル磯部ガーデン	磯部温泉	379-0127	群馬県安中市磯部1-12-5	027-385-0085
20	旅館たにがわ	水上温泉郷 谷川温泉	379-1619	群馬県利根郡みなかみ町谷川524-1	0278-72-2468
21	ホテル清風苑	月岡温泉	959-2397	新潟県新発田市大字月岡278-2	0254-32-2000
22	華やぎの章 慶山	富士山石和温泉	406-0031	山梨県笛吹市石和町市部822	055-262-2161
23	草津ナウリゾートホテル	草津温泉	377-1711	群馬県吾妻郡草津町白根750	0279-88-5111
24	RAKO華乃井ホテル	上諏訪温泉	392-0022	長野県諏訪市高島2-1200-3	0266-54-0555
25	山野草の宿二人静	早太郎温泉	399-4117	長野県駒ヶ根市赤穂4-161	0265-81-8181
26	白樺リゾート 池の平ホテル	白樺温泉	391-0392	長野県茅野市白樺湖	0266-68-2100
27	万座温泉日進舘	万座温泉	377-1528	群馬県吾妻郡嬬恋村千俣万座温泉2401	0279-97-3131
28	ホテルくさかベアルメリア	下呂温泉	509-2206	岐阜県下呂市幸田1811	0576-24-2020
29	上高地ホテル白樺荘	上高地	390-1516	長野県松本市安曇上高地	0263-95-2131
30	登別石水亭	登別温泉	059-0596	北海道登別市登別温泉町203-1	0143-84-2255
31	ゆのごう美春閣	湯郷温泉	707-0061	岡山県美作市中山奥湯郷	0868-72-8111
32	熱川プリンスホテル	伊豆熱川温泉	413-0302	静岡県賀茂郡東伊豆町熱川温泉1248-3	0557-23-1234
33	西の雅常盤	湯田温泉	753-0056	山口県山口市湯田温泉4-6-4	083-922-0091
34	袋田温泉思い出浪漫館	袋田温泉	319-3523	茨城県久慈郡大子町袋田978	0295-72-3113
35	高山グリーンホテル	飛騨高山温泉	506-0031	岐阜県高山市西之一色町2-180	0577-33-5500
36	ホテルニュー水戸屋	秋保温泉	982-0241	宮城県仙台市太白区秋保町湯元薬師１０２	022-398-2301
37	ユルイの宿 恵山	昼神温泉	395-0304	長野県下伊那郡阿智村智里407	0265-43-3188
38	かつうら御苑	南紀勝浦温泉	649-5334	和歌山県東牟婁郡那智勝浦町勝浦216-19	0735-52-0333
39	柏屋旅館	四万温泉	377-0601	群馬県吾妻郡中之条町四万3829	0279-64-2255
40	よもぎひら温泉和泉屋	よもぎひら温泉	940-1122	新潟県長岡市蓬平温泉	0258-23-2231
41	ホテルふじ	富士山石和温泉	406-0024	山梨県笛吹市石和町川中島192	055-262-4524
42	スパリゾートハワイアンズ	いわき湯本温泉	972-8555	福島県いわき市常磐藤原町蕨平50	0246-43-0569
43	ホテル伊豆急	下田白浜温泉	415-8512	静岡県下田市白浜2732-7	0558-22-8111
44	緑の風リゾートきたゆざわ	北湯沢温泉	052-0316	北海道有珠郡大滝村北湯沢温泉町300-2	0142-68-6677
45	ホテルカターラ RESORT & SPA	熱川温泉	413-0302	静岡県賀茂郡東伊豆町奈良本	0557-23-2222

順位	館名	温泉地名	〒	住所	電話番号
46	源氏香	南知多温泉郷	470-3322	愛知県知多郡南知多町山海	0569-62-3737
47	鬼怒川パークホテルズ	鬼怒川温泉	321-2522	栃木県日光市鬼怒川温泉大原1409	0288-77-1289
48	立山プリンスホテル	大町温泉郷	398-0001	長野県大町市大町温泉郷	0261-22-5131
49	益子舘里山リゾートホテル	益子温泉	321-4217	栃木県芳賀郡益子町益子243-3	0285-72-7777
50	鬼怒川温泉ホテル	鬼怒川温泉	321-2592	栃木県日光市鬼怒川温泉滝545	0288-77-0025
51	秋田温泉さとみ	秋田温泉	010-0822	秋田県秋田市添川字境内川原142-1	018-833-7171
52	飲泉・自家源泉かけ流しの秘湯 観音温泉	観音温泉	413-0712	静岡県下田市横川1092-1	0558-28-1234
53	加賀屋別邸 松乃碧 令和6年能登半島地震被災のため休館中（令和6年7月末現在）	和倉温泉	926-0175	石川県七尾市和倉町ワ部34	0767-62-8000
54	南田温泉ホテルアップルランド	南田温泉	036-0114	青森県平川市町居南田166-3	0172-44-3711
55	高見屋別邸久遠	あつみ温泉	999-7204	山形県鶴岡市湯温海字湯之尻83-3	0235-43-4119
56	ホテル サンハトヤ	伊東温泉	414-0002	静岡県伊東市湯川572-12	0557-36-4126
57	KIKI知床 ナチュラルリゾート	ウトロ温泉	099-4351	北海道斜里郡斜里町ウトロ香川192	0152-24-2104
58	萩姫の湯 栄楽館	磐梯熱海温泉	963-1309	福島県郡山市熱海町熱海 4-47	024-984-2135
59	きたゆざわ森のソラニワ	北湯沢温泉	052-0316	北海道伊達市大滝区北湯沢温泉町300-7	0570-026574
60	創業大正十五年 蓼科 親湯温泉	蓼科温泉	391-0301	長野県茅野市北山蓼科高原4035	0266-67-2020
61	多田屋 令和6年能登半島地震被災のため休館中（令和6年7月末現在）	和倉温泉	926-0174	石川県七尾市和倉温泉	0767-62-3434
62	ホテル阿蘇の司	阿蘇温泉	869-2225	熊本県阿蘇市黒川1230	0967-34-0811
63	南部屋・海扇閣	浅虫温泉	039-3501	青森県青森市大字浅虫字蛍谷31	017-752-4411
64	緑翠亭景水	大町温泉郷	398-0001	長野県大町市大町温泉郷	0261-22-5501
65	絶景の宿 犬吠埼ホテル	犬吠埼温泉	288-0012	千葉県銚子市犬吠埼9574-1	0120-315-489
66	湯元ホテル阿智川	昼神温泉	395-0304	長野県下伊那郡阿智村智里	0265-43-2800
67	星野リゾート 青森屋	古牧温泉	033-8688	青森県三沢市古間木山56	0176-51-2121
68	ホテル天坊	伊香保温泉	377-0195	群馬県渋川市伊香保町396-20	0279-72-3880
69	しこつ湖鶴雅別荘 碧の座	支笏湖温泉	066-0281	北海道千歳市支笏湖温泉	0123-25-8020
70	小槌の宿鶴亀大吉	日光温泉	321-1432	栃木県日光市安川町2-53	0288-54-1550
71	三日月シーパークホテル勝浦	勝浦温泉	299-5225	千葉県勝浦市墨名820	0470-73-1115
72	雨情の宿 新つた	いわき湯本温泉	972-8321	福島県いわき市常磐湯本町吹谷58	0246-43-1111
73	塚越屋七兵衛	伊香保温泉	377-0102	群馬県渋川市伊香保町伊香保175-1	0279-72-3311
74	シャトレーゼホテル 旅館 富士野屋	富士山石和温泉	406-0023	山梨県笛吹市石和町八田286	055-262-2266
75	二百年の農家屋敷 宮本家	般若の湯	368-0102	埼玉県秩父郡小鹿野町長留510	0494-75-4060
76	大牧温泉観光旅館	大牧温泉	932-0371	富山県南砺市利賀村大牧44	0763-82-0363
77	グリーンピア三陸みやこ	宮古市	027-0373	岩手県宮古市田老向新田148	0193-87-5111
78	鶴雅別荘 杢の抄	ニセコ昆布温泉	048-1511	北海道虻田郡ニセコ町ニセコ393	0136-59-2323
79	吉田屋山王閣	山代温泉	922-0242	石川県加賀市山代温泉13-1	0761-77-1001
80	宝川温泉 汪泉閣	宝川温泉	379-1721	群馬県利根郡みなかみ町藤原1899	0278-75-2611
81	三日月シーパークホテル安房鴨川	小湊鯛の浦温泉	299-5502	千葉県鴨川市内浦2781	04-7095-3111
82	平砂浦ビーチホテル	たてやま平砂浦温泉	294-0314	千葉県館山市伊戸1535	0470-29-1100
83	双泉の宿朱白	上諏訪温泉	392-0027	長野県諏訪市湖岸通り3-2-2	0266-52-2660
84	かっぱの宿 旅館三治郎	遠刈田温泉	989-0913	宮城県刈田郡蔵王町遠刈田温泉本町3	0224-34-2216
85	SHIRAHAMA KEY TERRACE HOTEL SEAMORE	白浜温泉	649-2211	和歌山県西牟婁郡白浜町1821	0739-43-1000
86	瑠璃光	山代温泉	922-0295	石川県加賀市山代温泉19-58-1	0761-77-2323
87	飯坂ホテルジュラク	飯坂温泉	960-0201	福島県福島市飯坂町西滝ノ町27	024-541-2501
88	ときわの宿 浜とく	いわき湯本温泉	972-8326	福島県いわき市常磐藤原町蕨平32	0246-42-3665
89	ホテル圓山荘	戸倉上山田温泉	389-0821	長野県千曲市上山田温泉2-9-6	026-275-1119
90	八幡平ライジングサンホテル	八幡平温泉郷	028-7302	岩手県八幡平市松尾寄木第1地割590-226	0195-78-2170
91	和多屋別荘	嬉野温泉	843-0301	佐賀県嬉野市嬉野町下宿乙738	0954-42-0210
92	乃木温泉ホテル	乃木温泉	329-2712	栃木県那須塩原市下永田1-993-11	0287-37-4126
93	石和常磐ホテル	富士山石和温泉	406-0024	山梨県笛吹市石和町川中島1607-14	055-262-6111
94	HOTEL OOSADO	春日崎温泉	952-1583	新潟県佐渡市相川鹿伏２８８－２	0259-74-3300
95	湯本旅館	渋温泉	381-0401	長野県下高井郡山ノ内町平穏2218	0269-33-2181
96	粋光	熱川温泉	413-0302	静岡県賀茂郡東伊豆町奈良本1271-2	0557-23-2345
97	大正屋	嬉野温泉	843-0301	佐賀県嬉野市嬉野町下宿乙2276-1	0954-42-1170
98	峡谷の湯宿 ホテル大歩危峡まんなか	大歩危・祖谷温泉郷	779-5451	徳島県三好市山城町西宇1520	0883-84-1211
99	原瀧	東山温泉	965-0814	福島県会津若松市東山町湯本下原235	0242-26-4126
100	旅館玉子湯	高湯温泉	960-2261	福島県福島市町庭坂字高湯7	024-591-1171

INDEX

【あ】

【か】

【さ】

【た】

【な】

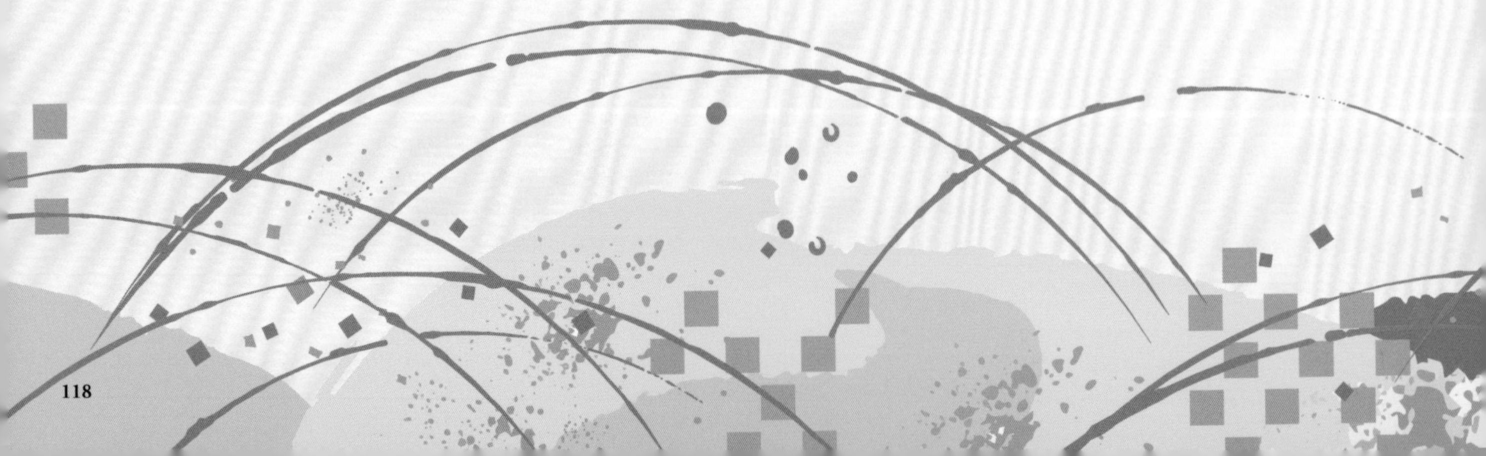

【は】

【ま】

【や】

【ら】

【わ】

プロが選んだ

日本のホテル・旅館100選 &日本の小宿 2025年度版

発行 旅行新聞新社
[本社]
〒101-0021　東京都千代田区外神田6-5-11 MOAビル6F
TEL 03-3834-2718
https://www.ryoko-net.co.jp/

発行人 石井貞德

編集 「日本のホテル・旅館100選」の本編集委員会

編集人 増田剛

編集協力 旅行新聞編集部
EDing Corporation

取材・写真協力（順不同・敬称略） 関係各ホテル・旅館
エイエイピー
旅行新聞編集部
shutterstock

表紙デザイン トクナガデジタルデザイン　徳永貴広

編集・制作 EDing Corporation　多田あゆみ

発売 自由国民社
〒171-0033　東京都豊島区高田3-10-11
TEL 03-6233-0781
振替口座　00100-6-189009

発行日 2024年8月6日

印刷 大日本印刷株式会社

製本 新風製本株式会社

※掲載データは、2024年7月現在のものです。宿泊料金は1泊2食付、2名1室、サービス料込、消費税・入湯税別の1名あたりの料金の目安です。宿泊料金は、ご利用になる人数、季節、料理、部屋などにより異なる場合があります。また、消費税・入湯税、サービス料などが別途必要な場合があります。税込と表記されているものは、消費税10%の金額です。実際に予約する際には、宿泊先のホテルや旅館、旅行会社に料金、サービスなどの詳細を必ずご確認ください。